神々の沈黙のあとに

前6世紀に大帝国を築いたアケメネス朝ペルシアの都、ペルセポリス。前331年にアレクサンドロスによって破壊され、現在もそのままの廃墟を見せている。〔本文159頁〕PIXTA

強圧か、寛容か。対照的な〈世界帝国〉

最初の世界帝国、アッシリアが軍事国家として周辺を圧倒したのに対し、そのあとを承けたペルシア帝国は征服した現地の文化を尊重し、諸民族との貢納関係を結んだ。上はライオン狩りで武威を誇示するアッシリアの王、アッシュルバニパル。大英博物館蔵。〔本文122頁〕©Alamy / Cynet Photo。左は他民族を謁見するペルシアのクセルクセス王。イラン国立博物館蔵。〔本文198頁〕©Darafsh CC BY 3.0

黄金のペルシア美術

アケメネス朝ペルシアの見事な金銀製の工芸品には、北方遊牧民の影響を受けた動物の意匠が多く見られる。写真は、オクソス遺宝と呼ばれる金銀細工のコレクションのひとつ、「グリフィンの腕輪」。大英博物館蔵。〔本文182頁〕

講談社選書メチエ

802

地中海世界の歴史②

沈黙する神々の帝国

アッシリアとペルシア

本村凌二

MÉTIER

はじめに

「読む」ことは「聞く」ことだった

トロイア戦争後、祖国への帰国を切望するオデュッセウスには、数多くの苦難が待ちうけていた。そのひとつに、世にも妙《たえ》なる美しい歌声を発するセイレンたちの音に耳を傾けてはならぬ、という戒《いまし》めがあった。そこではセイレンたちが美しい歌声で誘惑するのだ。

……さあ、ここへ来て船を停め、わたしらの声をお聞き。これまで黒塗りの船でこの地を訪れた者で、わたしらの口許《くちもと》から流れる、蜜《みつ》の如《ごと》く甘い声を聞かずして、行き過ぎた者はないのだよ。聞いた者は心楽しく知識も増して帰ってゆく。……（ホメロス『オデュッセイア』松平千秋訳）

部下たちの耳には温かい蠟《ろう》を貼りつけて音声が聞こえないようにしてあったが、オデュッセウス一人はその音声を聞くことができた。だが、女神の忠告に従って、前もって彼は帆柱《ほばしら》に縄でくくりつけられていたので、身動きできず、ほどなくセイレンたちの歌声は遠くに聞こえなくなったという。ここには神々の声に魅了される古代人の事例の典型がある。

さらにまた、シュメール時代のラガシュに残る円錐形《えんすいけい》粘土板には、次のような件《くだり》がある。

キシュのメシリム王は、キシュの耕地についてカディ神の命令を受け、そこに石柱を建てた。ウンマの総督ウシュは、石柱を奪えるように呪文《じゅもん》を唱え、石柱を粉々にし、ラガシュの平野に進んだ。エンリル神の勇士ニンギルスは、エンリル神の正当な命令により、ウンマに対し戦争をおこした。エンリル神の命令で、大きな罠《わな》を仕掛けた。ニンギルスは、そこの平野に埋葬塚を建てた。

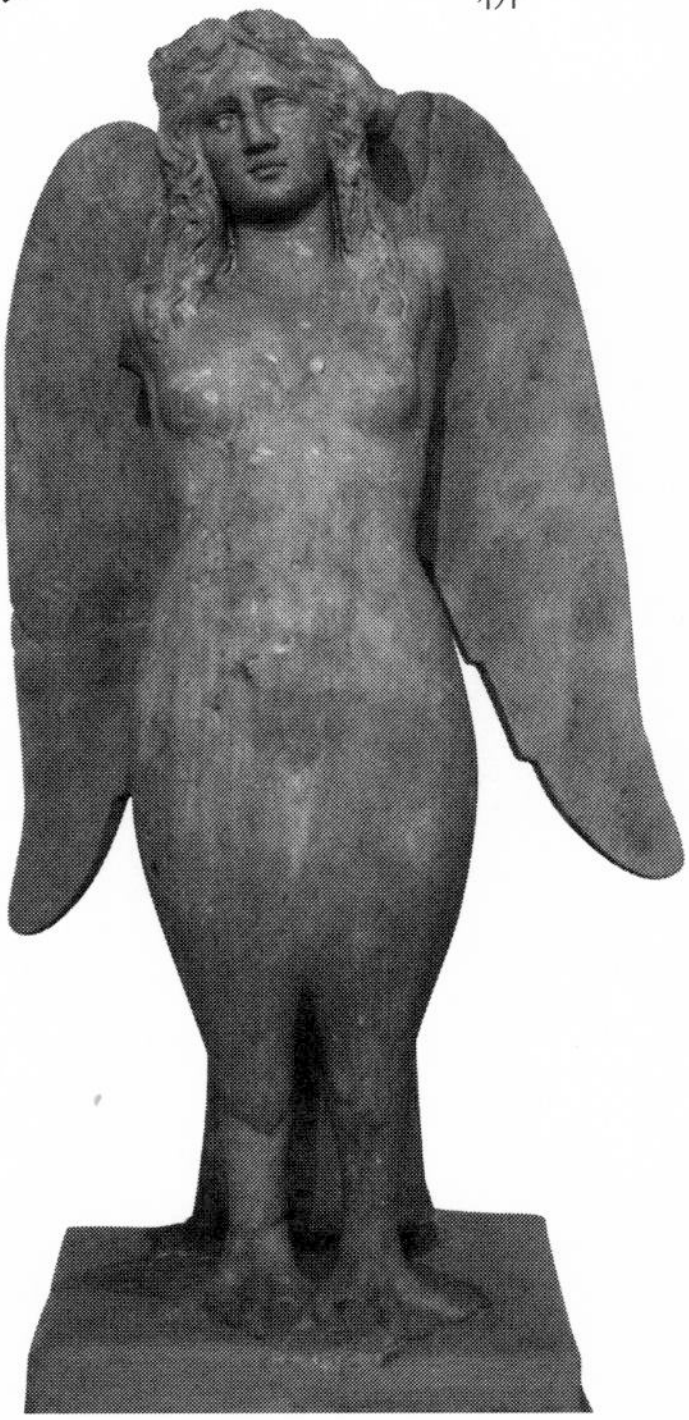

ここでラガシュ、キシュ、ウンマとは、シュメール時代の都市国家であり、それぞれに君臨する神々がおり、神々の幻《まぼろし》の声が圧倒的な力をもっていたことは特筆される。それらの神々の声は「命令」という表現で石柱に彫り刻まれていた点も注目される。石柱そのものが神々の現れであり、そのために石柱が攻撃されたり防御されたり、あるいは粉砕されたり持ち去られたりもした。ある文書には「石柱の側面に磨《みが》かれた表面を、聞くことで知る。石柱に彫り込まれた文面を、聞くことで知る。松明《たいまつ》の明かりが、聞くことの助けとなる」と記されている。ここには、楔形《くさびがた》文字の文書を「読む」というのは「聞く」ことだったのではないかということが示唆されている。

セイレーンたちの歌を聞くオデュッセウス。J・W・ウォーターハウス画、1891年。右ページの写真は、前４世紀頃のセイレーンの石像。アテネ国立考古学博物館蔵。©Codex CC BY-SA 3.0

神々の沈黙で人々が変わる

近現代に生まれた人間には、「神々の声がささやく」とか「神々の姿が現れる」などと言われても、およそ幻聴《げんちょう》や幻視《げんし》としか思えない。だが、古代の人々、とりわけ前一〇〇〇年以前の人々には現実のごとく真に迫って感じられることだった。数多くの史料を熟読すれば、そう解釈するのがごく自然に思われる。

ところが、その後どうやら前一千年紀に入るころから、そのような「神々のささやき」が聞こえなくなっていくのだ。少なくとも人々は神々の「声」や「姿」を実感できないような生体になりつつあった。人類史のなかでどこよりも早く文明を築いた地中海世界では、もはや「神々の沈黙」とでもいえるような現象が各地で見られるようになるのだ。多種多様な史料群を読みながら、時代と文明の全体像を再現しようとすれば、やはりそう解釈するのが理にかなっているのではないだろうか。

どのような出来事が積み重なって、そのような「神々の沈黙」がおこり、それにともなって人々の行動規範や生活様式が変わり、いかなる社会と文明ができあがっていくのか、それについて語るのが本巻の課題である。そして人類の歴史上初めて、「帝国」とよぶべき国家とそれを治める強大な権力が現れる。

まずは、われわれにとって当然のごとく存在しているアルファベット、一神教、貨幣が人類の文明にどのような影響をおよぼしたのか、そこからとり組んでいきたい。

沈黙する神々の帝国◉目次

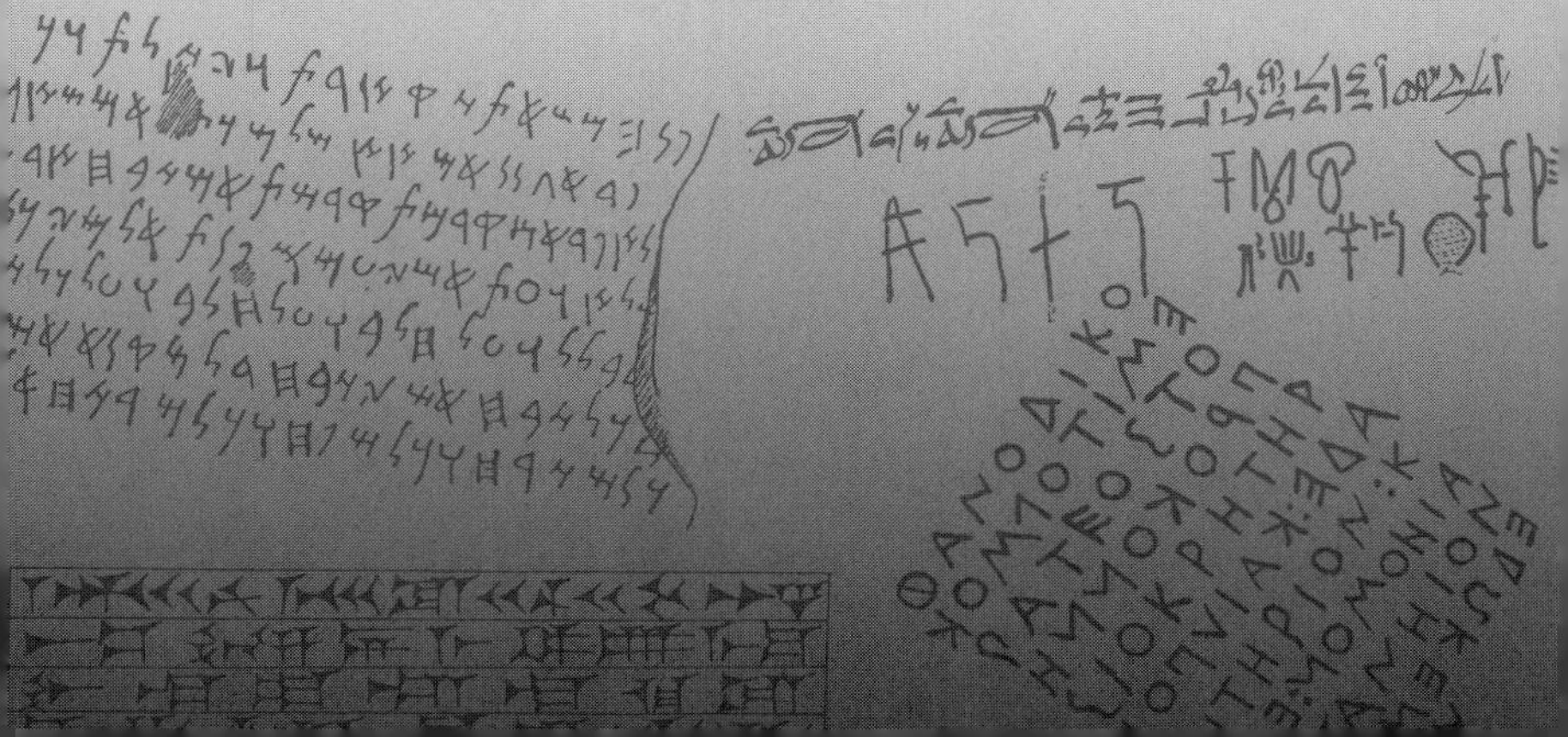

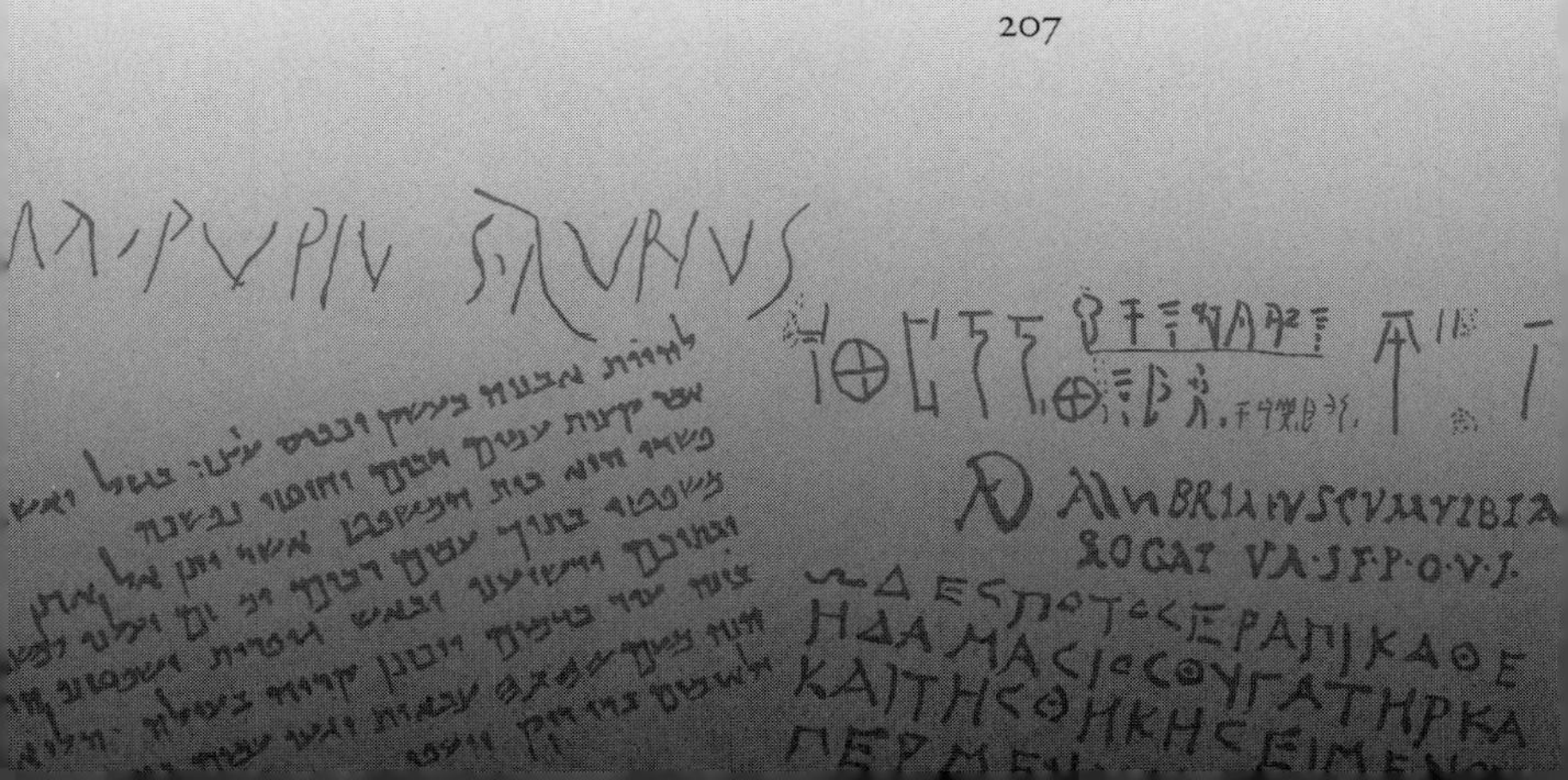

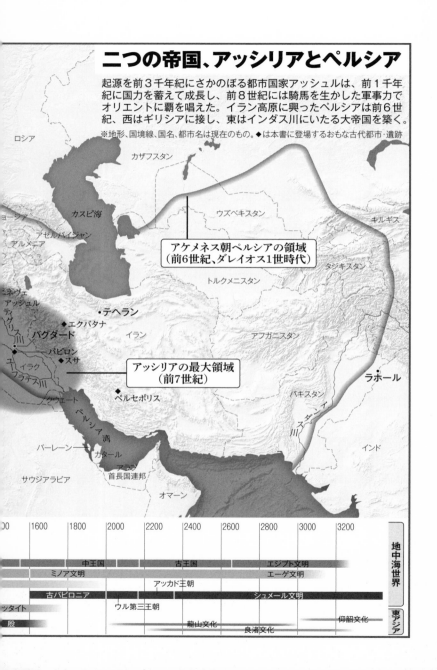

二つの帝国、アッシリアとペルシア

起源を前３千年紀にさかのぼる都市国家アッシュルは、前１千年紀に国力を蓄えて成長し、前８世紀には騎馬を生かした軍事力でオリエントに覇を唱えた。イラン高原に興ったペルシアは前６世紀、西はギリシアに接し、東はインダス川にいたる大帝国を築く。

※地形、国境線、国名、都市名は現在のもの。◆は本書に登場するおもな古代都市・遺跡

ドイツ
ポーランド
チェコ
ウクライナ
スロバキア
ウィーン
オーストリア
ハンガリー
モルドバ
アルプス山脈
スロベニア
ルーマニア
クロアチア
ボスニア・
ヘルツェゴヴィナ
セルビア
ドナウ川
イタリア
モンテネグロ
コソボ
ブルガリア
黒海
ローマ
北マケドニア
アルバニア
イスタンブル
トロイア
ギリシア
エーゲ海
トルコ
シチリア島
アテネ
サルディス
ミュケナイ
チュニス
マルタ
キプロス
地中海
クレタ島
キプロス島
シリア
チュニジア
ビブロス
レバノン
サマリア
イスラエル
イエルサレム
ヨルダン
カイロ
メンフィス
ナイル川
リビア
サハラ砂漠
エジプト
紅海
800
600
400
200
AD
BC
200
400
600
800
1000
1200
カルタゴ
フェニキア
ローマ帝国
共和政ローマ
王政ローマ
エトルリア文明
東ローマ帝国
プトレマイオス朝
新
スパルタ・アテナイ
ミュケナイ
ササン朝ペルシア
パルティア
ペルシア帝国
アッシリア
アレクサンドロス帝国
イスラム帝国
セレウコス朝
新バビロニア
イスラエル王国
突厥
匈奴
スキタイ
唐
隋（南北朝）
（三国）
後漢
前漢
秦（戦国）
（春　秋）
周

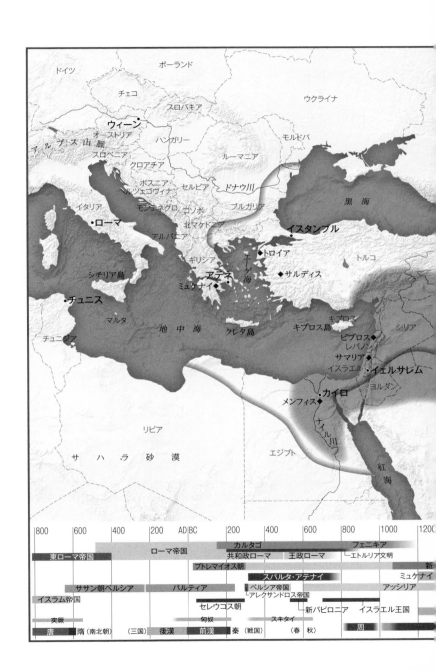

地中海世界の歴史②
関係略年表

ギリシア	ローマ	
（暗黒時代）	古イタリア人の南下・定住	BC1000
		BC900
		BC800
オリンピア競技会の開始（BC776）	非印欧語系エトルリア人の都市形成	
ポリスの成立	ローマ建国伝承（BC753）	
		BC700
ソロンの改革（アテナイ）		BC600
ペイシストラトスの僭主政（アテナイ）		
クレイステネスの改革（BC508）	ローマ共和政の開始（BC509）	
		BC500
ペルシア戦争		
デロス同盟の結成		
ペロポネソス戦争	シチリア遠征（アテナイ）	
		BC400
フィリポス2世（マケドニア）		
カイロネイアの戦い（BC338）		
アレクサンドロス大王の東方遠征	アッピア街道の創設	
		BC300

	中東	エジプト
		第19王朝　ラメセス2世
	「海の民」の侵攻　混乱期	第20王朝　ラメセス3世
BC1000	フェニキア人の海上交易活動	第三中間期
	ヘブライ人の王国	（第21～24王朝）
	ダビデ王・ソロモン王	
	南北朝分裂	
BC900	新アッシリア時代	
BC800	フェニキア人の植民市カルタゴの創設	
	アッシリア帝国	
BC700	センナケリブ帝	
	アッシュルバニパル帝 帝国の最大版図	アッシリア帝国支配下
	アッシリア帝国の衰退	
BC600		
	キュロス2世 アケメネス朝ペルシアの創設	末期王朝時代（第26～31王朝）
	ダレイオス1世　オリエント支配の確立	ペルシア帝国支配下
BC500		
	ペルシア戦争	
BC400		
	アレクサンドロス大王の東方遠征	
BC300	セレウコス朝シリア	

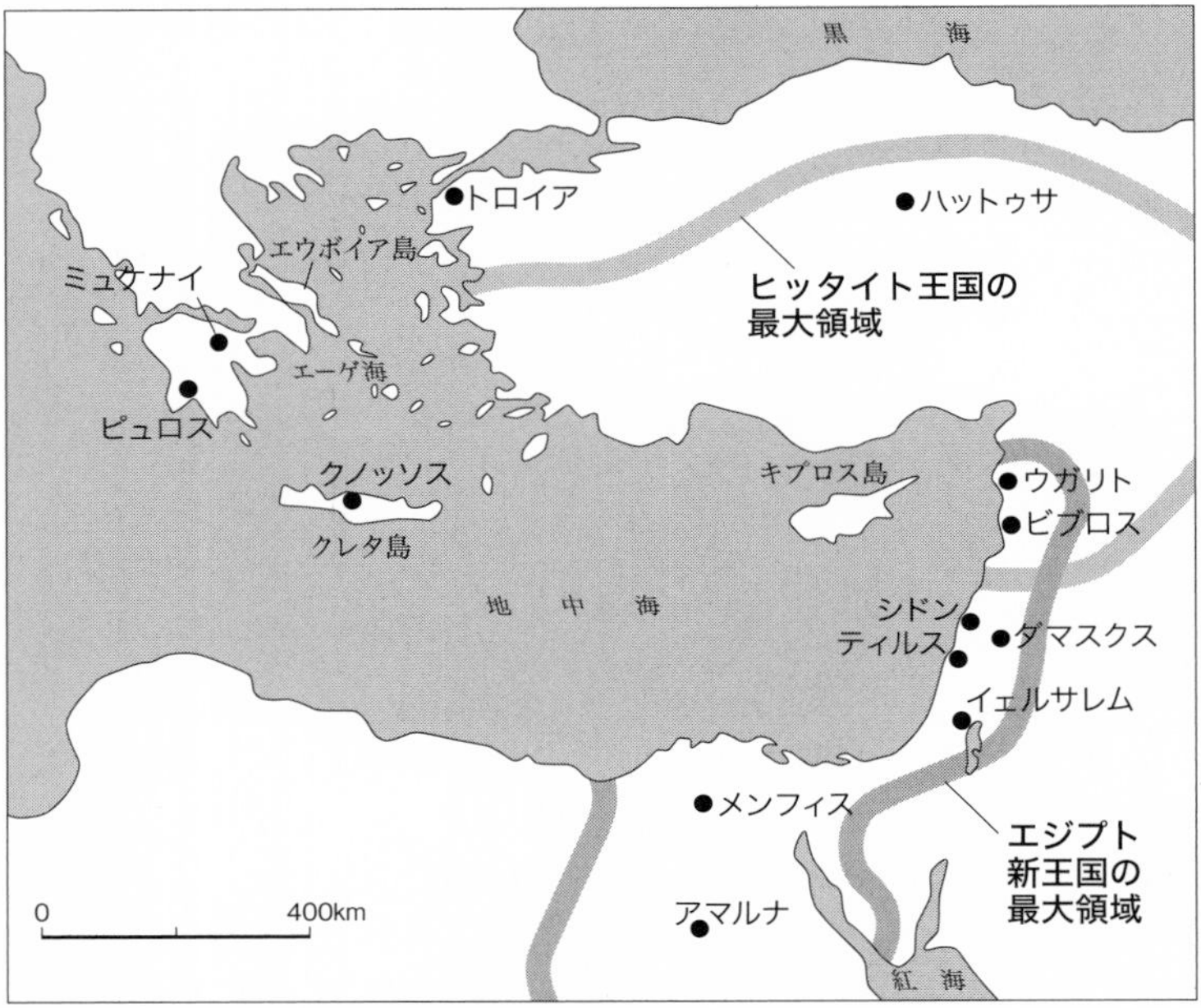

紀元前２千年紀後半の東地中海周辺

第一章
人類最大の発明

レバノン、ビブロス遺跡。渥美武文撮影

1　初期アルファベットの誕生

採掘場遺跡で発見された原カナン文字

「海の民」の流れをくむペリシテ人が定住した地域はパレスティナとよばれた。その南方にあるのがシナイ半島であり、その地はひどく乾燥しているという。中央に平らな山地が広がり、その周りを高い山並みが取り囲んでいる。切り立った山頂には冬には雪がつもることもあるらしい。「出エジプト記」に語られるシナイ山は、この山岳地帯の荒野に巨大な崖《がけ》のごとくそびえていたというが、正確な位置はわからないという。

「出エジプト記」の伝承によれば、エジプトを脱出したヘブライ人の民はシナイ山の麓《ふもと》に宿営した。この民を率いていたモーセは人々を代表してこの山に登り、主なる神から律法としての十戒《じっかい》を授かった。この律法は強烈な火炎でシナイ山の自然の岩に焼きつけられたという。

その伝説の場所から数十キロメートルほど離れた所に「奴隷の丘」とよばれる採掘場の遺跡がある。ここはエジプト人の支配下にあり、そのころカナン人とよばれた西セム語系の人々が繊細《せんさい》な薄青色の石を掘っていた。それはトルコ石とよばれ、古代世界のいたるところで取り引きされ、珍重されていた。これらのカナン人は奴隷のごとくトルコ石の採掘に使役されていたのだ。

この採掘場の周辺には愛と美の女神ハトホルの神殿があったという。この女神は尊いトルコ石の守護神でもあった。だから、エジプト人は女神ハトホルを崇《あが》めていた。やがて、この女神の恵みはそこで働く異邦のカナン人の心にも深く焼きついたにちがいない。

この採掘場に発掘調査隊が入ったのは二〇世紀初め頃である。荒野だが、高地の乾燥した大気はさわやかだった。イギリス人の発掘隊は洞窟の谷《マガーラ》にある採掘坑と採掘小屋を手始めに調査する。そこの岩にはファラオが地方の豪族を倒して服従させている図柄の浮き彫りがあった。そこから先へ十数キロメートル進むと、乱雑な採掘坑や崩れかけた壁、傾いた石碑が散乱していた。おそらくかつては要地であり、聖域、中庭、神殿、作業場、宿泊所などを擁《よう》する建物が設けられ、岩を積み重ねた城壁で囲まれていた。

シナイ半島、セラビト・エル＝カディムで出土したスフィンクスは、台座に原シナイ文字が書き込まれている

ひたすら尊いトルコ石の守護神ハトホルを崇めていたことは、あちこちの岩にヒエログリフ（聖刻文字）や彫像が彫り刻まれていたことからも知られる。さらにまた、そこには崩れかけた石碑も散らばっていた。そのなかの八枚の石碑には奇妙な記号が刻まれ、それらはこれまで見たこともないものだった。石碑には、家、目、牛追い棒、十字の形をした四つの一連の記号が数回にわたってくりかえされていた。

もしかしたら、これらの記号はアルファベットの最古のものではないか、そういう期待が高まる。さらに、これらはヒエログリフに由来するという仮説も立てられる。とりわけ文字の連続がはっきりと刻まれていた小さな赤い砂岩製のスフィンクス像には、ヒエログリフも刻まれていた。

やがて、上記の四つの一連の記号をbʿltと読むことが提案された。「ʿ」の記号は荒い喉頭音で印欧語にはないものだ。この一連の記号はバアラト（Baalat）を意味する文字だという。それはカナン人の主神バアル（Baal）の女性形であり、エジプト人の女神ハトホルのカナン版であった。

さらに調査がすすみ、多数の碑文が発見されたが、文字の数そのものは三〇に満たなかった。

これら二十数個の表音文字こそがアルファベットの原型であり、それを作りだしたのはまさしくカナン人であった。これらの文字はヒエログリフにならったものであり、このアルファベットの原型は原シナイ文字とよばれている。あるいは、もっと広い地域で発見されていることから、原カナン文字ともいう。

それとともに、北シリアのウガリトでも楔形《くさびがた》文字からアルファベットが考案されている。時は前二千年紀半ばのことであった。しかし、ウガリトは、前一三世紀末に、船上で暮らす「海の民」に襲撃され、またたく間にすべてが灰燼《かいじん》に帰したという。今日でも二メートルほどの地層となって大火災の痕跡《こんせき》が残っている。楔形文字から開発されたアルファベットも消滅の運命をまぬがれなかったのだ。

フェニキア商人の手で伝わるアルファベット

文字を獲得したことは、おそらく人類の最大の発明であろう。しかも、アルファベットは現在にまでつづく文字であり、そのように現代文明にいたる根幹となる文字を開発したのは、東アジアとともに地中海世界だけであることは特筆されていいだろう。前四千年紀末のメソポタミアに楔形文字が生まれ、同時期にエジプトではヒエログリフ（聖刻文字）が誕生した。だが、これらの文字は数百、数千の文字数になり、それらに習熟した書記たちしか読み書きできなかった。

メソポタミアとエジプトの狭間《はざま》はカナン地方ともよばれた。そこには西セム語系の人々がおり、農耕と遊牧の生活をおくっていた。彼らのなかには商業交易に活躍する人々も少なくなかった。取引の現場にあれば、その内容を文字で記録する必要に迫られただろう。だが、楔形文字やヒエログリフのような数百、数千もの文字を覚えるのはしんどかったにちがいない。

あるとき、数少ない文字であらゆる言葉を表記しようと試みる人々がいた。今日では当然すぎることだが、歴史をさかのぼれば、とてつもなく革新的な発想である。学者のなかには、アルファベットの開発こそが人類最大の発明であると唱える人もいる。

シナイ半島でアルファベットの祖型が見つかったせいか、これらの文字を作ったのはエジプトから約束の地へとさまよう途中のヘブライ人ではなかったか、という説もある。ロマンあふれる仮説であるが、想像の域を出ないだろう。

ともあれ、遅くとも前二千年紀半ばには少ない文字しかないアルファベットで表記するという動きが目立ってきた。やがてカナンに住む人々は海洋文化の影響をこうむり、フェニキア人ともよばれるようになる。このフェニキア人こそがアルファベットを右から左への横書きの文字として確かなものにした。その文字は、これらフェニキア人の交易活動の拡大にともなって、地中海世界の各地に伝わっていくのである。

いささか時が前後するが、前一二世紀前半、それまで勢いのあった「海の民」もエジプト王国の軍隊の力で排撃されている。これらいわば「海洋遊牧民」とでもいうべき移動を繰り返す人々のなかにはカナンの沿岸地に定住する勢力も現れ、フィリスティアの地に住むペリシテ人として知られていた。それとともに、内陸部には移住してきたヘブライの諸部族がイスラエル人として台頭していた。

ウガリトが崩壊したとはいえ、南方にあるビブロス、シドン、ティルスなどのフェニキア人の諸都市も油断のならない新興勢力に脅《おびや》かされていたのだ。フェニキア人は自分たちの覇権のおよぶ領土がかなり縮小しているという実感におののいていたかもしれない。彼らはどこに生きる場を求めるべきかという思いにとらわれていたにちがいない。

フェニキア人にとって、もはや海に目を向けるよりほかに進むべき道はなかった。しかも、彼らは都市国家という規模で活動していたせいか、集結した民族という意識は希薄《きはく》であった。だから、カナン人あるいはフェニキア人としての民族意識にとらわれることなく、個々人あるいは少数集団として独自な力をふるえればよかったのだろう。とりわけ港を拠点とするビブロス、シドン、ティルスのような都市に住む人々は、内陸に住むカナン人あるいはフェニキア人と仲間として結びつくという感覚などほとんどなかったにちがいない。

フェニキア人は職人としてすぐれており、彼らの手になるガラス、象牙《ぞうげ》、紫染料、織物、家具などの工芸品は、古代世界のいたるところで注目され、取り引きされた。だが、これらの交易活動についての記録となるとほとんど残っていない。おそらく記録され保存されていたにしても、今日までは伝わっていないのだ。それというのも、フェニキア人は記録するためにパピルスを使ったのであり、それは記録媒体として保存されにくいものだったからだ。

そもそも、取り引きにたずさわる商人ほど、物流を記録し管理することに心を配る人々はいなかった。それだからこそ、少ない文字数のアルファベットを開発するという意欲も、カナン人あるいは原フェニキア人ともいえる人々には、いち早くめばえていたのかもしれない。

どのような条件で取り引きがなされたのか、その内容は記録しておくべきだろう。パピルスは巻物であったから、文字も書きやすく、軽くて持ち運びも容易であった。さまざまな職種の人々にとって記録媒体としてことさら望ましいものだった。ただし、長期間の保存となると、完璧な乾燥状態のなかに置かれなければ、虫食いなどで浸食され短命に終わりがちだった。

それにしても、フェニキア人はメソポタミアで使用されていた楔形文字や粘土板を受け入れなかったし、近隣のウガリト文字も粘土板に刻まれたせいか、使わなかった。その代わりに、ヒエログリフを書き記すためのパピルスを用いたのだが、ヒエログリフをそのまま使わずに簡略化して改造するのだった。おそらくフェニキアの商人にとって、商品の出入りを記録し、輸出入をとどこおりなく行い、厄介な事態のための民法や判例を記録しておくことが、なによりも重要だった。そのためには、誰もが使いやすい文字表記が好ましかっただろう。

絵文字型から線文字型へ

その背景に次のような歴史の流れがあったと想像することもできる。前一三世紀頃までに、カナンの地に移住してきたアジア系の異邦人がいた。彼らのなかでは単純な発想がめばえており、それは、

ウガリト遺跡は、シリアの地中海岸の都市、ラス・シャムラにある。松川裕撮影

「一つ一つの音に文字記号を対応させる」というやり方だった。ひとまずその動きを「アルファベット運動」とよんでおこう。

じっさいウガリトでは楔形文字を使ってアルファベットで表記することが実現していた。しかし、それが原初の「アルファベット運動」であったかどうかは明らかではない。ウガリト・アルファベットは、南方に住むカナン人の諸勢力が楔形文字や粘土板を使用していなかったこともあり、また、前一三世紀末のウガリト崩壊もあって、近隣の地域に広まらなかったと見なされてきた。

だが、少なくともアルファベットの文字の順序については、ウガリトが故地であることはほぼ疑いがないという。というのも、アルファベット順をめぐって、近年では、イェルサレムの北西部にある遺跡やシナイ半島北東部にある遺跡から、ウガリトのアルファベット順が伝播《でんぱ》していた形跡が明らかになったからである。これらの土地はウガリトから遠く南方に離れており、南方の各地でもウガリト・アルファベットが参照されていたらしい。

アルファベットの起源をたどると、正確な年代は確かではないが、前二千年紀前半にさかのぼる。エジプトのヒエログリフ書字方法がシナイ半島やパレスティナで改変され、碑文のなかに刻まれて残っている。このため前述したように、しばしば原シナイ文字または原カナン文字とよばれている。エジプト人に感化されたにしろ、書き記された語句はカナンの西セム語であり、エジプト語ではない。アルファベットが東地中海沿岸のレヴァント地方のどこかで生まれたことは、ほとんど疑いない。起源をたどれば、初めは絵文字のようなものであり、その言葉の最初の音がその音価になる。たとえば、セム語で「家」はベートというので、その絵はｂ（べ）という音価をもつことになる。

とはいえ、それぞれの文字の呼称については、さまざまな見解があり、不明な部分も少なくない。はっきり言えることは、現代に連なるアルファベットの文字は、その順序のみならずその呼称もまた、前二千年紀半ばに開発された西セム語系言語の音節文字が直接さかのぼれる祖先だということである。

これらの原カナン文字あるいは原シナイ文字のような刻字はパレスティナでもあちらこちらで発見されている。おそらく前一二世紀にいたるまで、これら絵文字のようなアルファベットが改良されながら使われつづけてきたのだろう。これらの文字は、縦書きも横書き（右からも左からも）もあったが、やがて横書きが主流になった。

これら絵文字型の文字も時を経るにつれ単純化され抽象化されて、前二千年紀後半には線文字型のアルファベット文字が現れるのである。その頂点をなすのが、フェニキア人のアルファベットであり、それこそ原カナン文字あるいは原シナイ文字の直系の子孫であるのだ。

フェニキア・アルファベットは二二個の子音からなっていた。前一〇〇〇年頃の事例として、ビブロス王アヒラムの石棺が残されている。この石棺の蓋の縁に文字が刻まれていたのである。すでに文字の向きも形も決まり、右から左へと進む横書きも定着していた。そこには、まるで墓所を汚す者を

呪《のろ》うかのように、

ビブロスを攻め落とし、この石棺を暴いたとすれば、その者の統治の笏は蹴落《しゃく》とされ、彼の玉座はひっくり返されるように。ビブロスから平安が消え去るように。

と警告されている。

なによりも、フェニキア・アルファベットは使いやすい文字表記であった。このために周辺地域の人々にも広く知られるようになる。たちまちのうちに、ヘブライ語やアラム語などの近隣地域の言語にも、この文字表記がとり入れられている。この時期、ヘブライ人もアラム人もそれぞれ王国を建設していた。

ビブロス王アヒラムの石棺

エーゲ海からイベリア半島まで拡散

フェニキア文字に出会ったとき、ヘブライ人はそのまま使ったらしい。そのために最古のヘブライ語碑文はフェニキア文字で刻まれている。いわゆる「ゲゼル農事暦」とよばれる前一〇世紀の小さな石板であり、一年の農作業の短い日録を記している。

収納のふた月　種まきのふた月
遅まきのふた月
亜麻の刈り入れのひと月
大麦の収穫のひと月
［小麦の］収穫と計量のひと月
夏の果実のひと月……（略）……（佐藤育子訳）

この農事暦では秋を一年の始まりとしていることが注目される。ちなみにバビロニア暦では春を始まりとしており、これに比べて、イスラエル人は秋分を起点とする暦を使っていたことが明らかになる。ところで、ヘブライ語のなかにはフェニキア文字では表されない音がいくつかあるという。そのために新しい文字を発明することもできたかもしれないが、ヘブライ語では文字の右上か左上に点を付加するだけで区別したにすぎない。

政治的にも文化的にもイスラエル人はいくぶん孤立していたせいで、文字の発達はかなりかぎられていたらしい。このころシリア地方へのアラム人の流入がつづき、アラム語が優勢になっていた。そのため、とりわけ王国の分裂後の混迷のなかでアッシリア勢力に圧迫されるにつれて、ヘブライ文字は衰えるだけだった。やがて、ユダヤ人はヘブライ文字を捨ててアラム文字を選ぶことになる。

アラム文字は前一一世紀頃にフェニキア文字から派生している。当初のところ、アラム語はフェニキア文字を用いることが多かったという。やがてアッシリア人とその後継勢力の下でアラム語が国際社会で通用するようになると、アラム語はフェニキア語とたもとを分かち、アラム文字が勢いづくのである。さらにはアラム人の居住区域をこえて広がり、アッシリア人やペルシアばかりではなく、その他の民族にとっても、アラム文字は有益な文字となった。エジプト、アラビア、小アジアばかりではなく、アフガニスタンなどでも用いられていたらしい。

このようなフェニキア文字からヘブライ文字やアラム文字が派生していくなかで、子音だけのフェニキア文字にはない母音表記の想念がきざしていた。たとえば、子音 h が /o/、/a/ あるいは /e/ を表すような動きもあったという。少なくとも、そのような母音表記ができないことを問題視していたにちがいないのだ。

さらに、海に活路を見出したフェニキア人が商人団として地中海に進出したので、彼らのアルファベットも拡散していく運命にあった。まずはキプロス島とクレタ島に渡り、さらにエーゲ海の諸地域へと伝播していく。やがて地中海西部のサルディニア島やイベリア半島南部にまで伝えられている。ところで、歴史の父ヘロドトスは、「文字はフェニキア人によってギリシアにもたらされた」と記している。おそらくこれが事実であることは、初期のギリシア文字の名称、形、音価、文字順などとフェニキア文字を比べてみれば、明らかである（左頁図表参照）。

ギリシア人がアルファベットを採用した時期をめぐっては諸説があるらしい。最古のギリシア文字の銘文は前八世紀であるが、このころからすでに文字が地域によって多様化しているのである。だが、フェニキア文字と初期のギリシア文字とではほぼ形が一致しており、それによれば、前八〇〇年以前と考えておくべきだろう。

また、ギリシア人はどこでフェニキア文字と出会ったのか、という問題もきわめて興味深い。といっても、ヘロドトスの記すように「カドモスとともに渡来したフェニキア人たち」によってテバイのボイオティア人に伝えられたと言えるのであろうか。ティルス人カドモスは神話に登場するような伝説上の人物であるから、フェニキア文字との出会いはすこぶる古い時期になるはずだ。だが、それを示唆するような考古学上の遺物はまったくないのだ。

最古の事例はエウボイア島出土

ところで、エーゲ海地域に注目すれば、最古のギリシア・アルファベットの事例はエウボイア島か

	初期フェニキア	初期アラム	「角形」ユダヤ・ヘブライ活字
’	𐤀	𐡀	א
b	𐤁	𐡁	ב
g	𐤂	𐡂	ג
d	𐤃	𐡃	ד
h	𐤄	𐡄	ה
w	𐤅	𐡅	ו
z	𐤆	𐡆	ז
ḥ	𐤇	𐡇	ח
ṭ	𐤈	𐡈	ט
y	𐤉	𐡉	י
k	𐤊	𐡊	כ
l	𐤋	𐡋	ל
m	𐤌	𐡌	מ
n	𐤍	𐡍	נ
s	𐤎	𐡎	ס
‘	𐤏	𐡏	ע
p	𐤐	𐡐	פ
ṣ	𐤑	𐡑	צ
q	𐤒	𐡒	ק
r	𐤓	𐡓	ר
š	𐤔	𐡔	ש
t	𐤕	𐡕	ת

アルファベットと、フェニキア、アラム、ヘブライの字体。ジョン・ヒーリー『失われた文字を読む4　初期アルファベット』竹内茂夫訳、學藝書林、1996年をもとに作成

ら出土している。それとともに、同時期のギリシア文字の事例が東方ではレヴァントのアル・ミナと西方ではイスキア島のピテクーサイからも出土しているのだ。その背景には、ギリシア人の商人が地中海沿岸の各地に出かけていた有り様が浮かび上がってくる。たしかに、エウボイアでは、すでに前一〇世紀頃のオリエント産の奢侈《しゃし》品が出土しているという。それらの商業交易の活動のなかで、ギリシア商人とフェニキア商人との交流もあったと見なすのが自然ではないだろうか。なかでも、フェニキアに住んでいたギリシア人が使いはじめ、やがてギリシア本土に広まった、と多くの人々は考えている。

前述したように、最初のギリシア文字アルファベットとしては前八世紀のものが残されている。だが、ギリシア人は子音だけのフェニキア文字にどこかぎこちなさを感じていたのだろうか。異国人であるフェニキア人の発音はまずもって易々《やすやす》と真似できるものではなかった。聞きとりにくい弱い子音が半母音のごとく発音され、ほどなく三つの文字が工夫されている。そこでは、あたかも母音が導入されたかのごとき出来事に見えたということだろう。フェニキア語独特の子音をギリシア語に移そうとすると、そうなるしかなかったにちがいない。創意工夫の成果というよりも、母音のような文字に修正することで、さらに読み書きしやすいアルファベットになったのである。

線文字Bはギリシア語

ギリシア史については第三巻と第四巻で叙述することになるが、ここではアルファベットの開発と普及を話題にしているので、ギリシア語とその文字表記についてふれておきたい。そもそも、ギリシア人は、歴史のなかでさかのぼれる前二千年紀のミュケナイ時代には、線文字Bを使用していたという。一九世紀以来発掘されたミュケナイ、クノッソス、ピュロスなどの遺跡から粘土板文書が出土し、三種類の文字の文書があることがわかった。これらのなかの線文字Bとよばれる文字は、一九五二年、マイケル・ヴェントリスによって解読され、ギリシア語であることが判明した。

線文字A（左）と線文字B（右）。いずれもクノッソス出土

この解読以前には、ミュケナイ時代の諸王国にはまだギリシア人が住んでいなかったと考えられていたから、これは驚くべき発見であったのだ。もっとも、ハインリヒ・シュリーマンによるトロイア遺跡やミュケナイ遺跡の発掘のおかげで、この発見は予想できないことではなかった。それまで神話や伝承にすぎないと見なされていた『イリアス』や『オデュッセイア』の世界が、たんなる作り話ではなく史実をひそませているならば、クレタ島にギリシア人が住んでいても奇妙ではなかっただろう。

ところで、線文字Bは九〇ほどの文字からなり、音節文字であるが、母音と子音に分かれているわけではない。日本人には「いろは」の表記でなじみやすいところがあるはずだ。アルファベットのように二十数文字まで簡素化されなかったが、楔形文字やヒエログリフに比べれば、言語表記の単純化という大きな潮流のなかにあったと言えるかもしれない。

しかしながら、ギリシア本土は、楔形文字のメソポタミアとヒエログリフのエジプトという大きな文明からはるかに隔たっている。それらの影響を受けながら、カナン人の住む地域で「アルファベット運動」がおこったことは不思議ではない。年月が積み重なり、文明が複雑になると、広範囲な世界での相互の交流のために一種の「単純化」の営みが生まれることは自然であろう。

だが、ギリシア人は遠隔の地域に住んでいたにもかかわらず、なぜ一〇〇文字以下の文字表記ができたのだろうか、と問いたくなるだろう。その点で、文字の作り方に注目すれば、線文字Bはまったく独自なものであったことはことさら印象深い。

記載される内容は行政事務や物資管理にかぎられており、筆跡の差異が明白であることから、特定の書記が特定の場所で表記するだけだったらしい。人間の営みの実務的な部分を記録するだけであり、詩歌や物語のような文芸作品があったわけではない。

とはいえ、たんなる実務管理の必要から工夫されたと片づけてしまっていいのだろうか、という疑問は残る。ひとまずは納得しておくしかないだろう。

ところが、前一二世紀頃から、ミュケナイ時代の諸王国は何らかの原因で崩壊したという。しばしば海洋遊牧民「海の民」の襲撃にあったとされるが、それだけが原因ではないだろう。たしかに、その後に混乱があり、人口も減少していったらしい。美術や工芸などの文化活動も低迷していたので、暗黒時代とよばれることも少なくない。近年の研究では青銅器時代から鉄器時代への移行期にあったことから新機軸の工夫も見出されているが、それでも混迷の時代であったことは拭いがたい。なによりも、書かれたものが残っておらず、とりもなおさず線文字Bの書法が失われてしまったのだ。そのことが暗黒時代を印象づけるのである。おそらく実務管理の必要もないほどに社会秩序が失われていたのだろう。文字が秩序にともなって使用されることがよく理解できる事例である。

ところが、前九世紀末頃から、ギリシア人の社会は大きく変動していく。先進地域であるオリエント世界からの美術や工芸の技術が伝わり、幾何学文様の陶器などが華々しく登場した。なによりも、フェニキア文字のアルファベットを採り入れてギリシア文字のアルファベットが開発されたことは注目される。これらのギリシア文字は、土器、石板、金属板に刻まれ、さまざまな出来事が今日にまで伝えられている。もちろん、これらギリシア文字のアルファベットの知識が拡散し広がっていくには、なお数百年を経なければならないのだが。

音声言語と文字言語

しかし、このような文字の獲得はほんとうに人間の能力を高めるのだろうか。なるほど、われわれは幼児期にあっては、言葉は音でしかなかった。ある時期から、たどたどしいながら文字を覚えるようになる。これが自分にどのような影響をもたらしたか、などとはほとんどの人々が自問したことすらないだろう。あえてそれを問いかけるならば、言葉というものについて掘り下げて考えてみるべきだろう。

われわれ現代人からすれば、言葉には話し言葉と書き言葉の二種類がある。いうまでもなく、この音声言語と文字言語の区別は、人間が狩猟採集に明け暮れ、洞窟で生活していた太古の昔にさかのぼれるわけではない。およそ五〇〇〇年前の文明の誕生そのものが文字の発見にともなっていたのだから、当然のことである。

なにはともあれ、音声言語と文字言語の区別は人類が長い時間をかけて獲得した認識能力のなかの差異なのだ。このたあいもない事実を現代人はあまりにも忘れ去っているのではないだろうか。

このことに関連して、哲学者レヴィ＝ブリュール（一八五七〜一九三九）は名著『原始心性』*La mentalité primitive* のなかで興味深い話を紹介している。それは無文字社会の人々に文字や書物の話をしたときのことだった。書物を見せたところ、文字を知らない社会の人々は書物に耳を近づけたというのだ。そうすれば声が聞こえると思ったらしい。彼らにとって言葉とは音声言語にほかならないのだから、自然で当たり前すぎることだった。

しかし、そこにはなにか重大な事実がかくされているのではないだろうか。すなわち、人類にとって文字言語の習得はとてつもない能力の獲得であったが、反面ではまた、途方もない能力の喪失ではなかったかということである。といっても、この途方もない能力とは、今ではわれわれ現代人の知りえない能力であるのだが。

文字に頼ることを警告したソクラテス

現代にあっては、「若者が本どころか新聞すら読まない」としばしば嘆かれることがある。読み書き能力の低下はすぐに社会や文化の危機として見なされがちである。だが、歴史をさかのぼれば、必ずしもそうともいえず、むしろ逆の判断を下す人もいる。しかも、そう論じたのは、ほかならぬ古代における知者の代表格であるソクラテスなのだから、考えさせられる。

なぜなら、人々がこの文字というものを学ぶと、記憶力の訓練がなおざりにされるため、その人たちの魂の中には、忘れっぽい性質が植えつけられることだろうから。それはほかでもない、彼らは、書いたものを信頼して、ものを思い出すのに、自分以外のものに彫りつけられたしるしによって外から思い出すようになり、自分で自分の力によって内から思い出すことをしないようになるからである。（プラトン『パイドロス』二七五ａ　藤沢令夫訳）

文字を使えば、想起するのに手間がかからないから物知りになれる。だが、それは知恵の外見であって、見せかけだけの博識家にすぎない。そんなことになれば、真の知者ではなく、知者を気どる自惚《うぬぼ》れ者だけがはびこる、とソクラテスは批判する。

この偉大な哲人が語るように、刻まれた文字を頼りにすれば記憶をよみがえらせることができるが、それによって失われる能力もあるかもしれない。記憶の蘇生とは経験と学習を自分の内に再生することでもあるから、逆に、文字の習得はその内なる蓄積の大半を自分の外に置き去りにすることになってしまうだろう。

そうであれば、自分の内で失われる能力とは、おそらく「なにものにもよらず、みずからの内なる声に耳をかたむけ、判断する」ということではないだろうか。ここで「判断する」という表現を使っておくが、ソクラテスの場合、どのような内容であるのだろうか。

思想史をながめれば、ソクラテスは、人間に内在する精神あるいは魂をことさら重視したという。そこでは、知性や認識が重きをなし、合理的思考の道が切り開かれる。だが、個人の力で適切な判断ができるとはかぎらないのだ。そのことをソクラテスは誰よりもわきまえていたはずである。自分の能力の限界を知るべきことは、デルフォイの神託「汝《なんじ》みずからを知れ」に託した彼の言動でくりかえし指摘されている。

古代の人々は誰一人として神々の存在を疑うことがなかったという。ソクラテスとて例外ではなく、むしろ誰よりも神々の沈黙を恐れた人ではなかっただろうか。文字が使用され、もはや「神々のささやく声」が聞こえなくなった彼の時代にあって、その声に耳をかたむけるにはどうすべきなのか。それは「わが内なる声に耳をすます」ということであったにちがいない。その逆に、文字に頼れば魂に刻みこまれず内なる声も聞こえなくなるだろう。そのような事態はソクラテスの恐れるところであり、だからこそ彼の懸念が生き生きとしたものになるのだ。

古代のテキストは古いものであればあるほど、神々の姿や声を伝えている。本シリーズ第一巻でも述べたように、それは必ずしも作り話、幻視、幻聴ととらえるべきではない。前五世紀のソクラテスは、神々の怒りを忘れて自然や物資のごとき外界にのみ目を向けがちな同時代人に、「内なる声に耳をすませ」と警告したかったのだろう。このように理解すれば、文字を使用することへの彼の懸念は地中海世界の文明史のなかでことさら精彩をはなっている。

人間の内なる力を重んじる立場にあれば、いたずらに読み書き能力を高めることに期待するわけにはいかないだろう。それにもかかわらず、少ない文字のアルファベットの開発によって、数多くの人々に読み書き能力が普及していくことができるかもしれない、そのような曖昧模糊《あいまいもこ》とした時代が迫っていたのだ。

文字がもたらす認識能力の革命

当代一流の思想家であるソクラテスの懸念は、たしかに個人の能力としては当を得ているかもしれない。だが、集団や社会として考えれば、広い空間に時を経ても記録が正確に伝達されるのは、大きな利点だった。しかも、数少ない文字のアルファベットの普及には、広範な人々に読み書き能力を身につけさせる力がひそんでいた。その勢いにのみこまれれば、人間の考え方は多大の影響をこうむることになるのだ。

といっても、多くの人々がすぐに読み書きができるようになったと考えるべきではない。そのような段階まで達するには、まだ途方もない歳月が必要なのである。もともと口頭伝承《こうとうでんしょう》だった詩聖ホメロスの叙事詩ですら文字に書きとめられたのは、ようやく前六世紀末のことにすぎない。

近代になっても、一九世紀ロシアは、文豪トルストイやドストエフスキーを生み出していながら、民衆の八割は字が読めなかったという。また、中世ヨーロッパでは、修道院の窓から中を覗《のぞ》いた農夫は不気味な感じがしたらしい。そこでは修道僧が書物をじっと見つめていたのだった。読み書きといっても音読しか見聞したことのない農夫には黙読という行為が理解できなかったのである。

それにもかかわらず、数少ない文字のアルファベットは人類の広範な層が読み書きという新しい能力を獲得する可能性に道を開いていくにちがいなかった。なるほど、記憶するよりも記録することが重んじられていけば、人間の内なる声に耳をかたむけることはなおざりになるだろう。だが、文字言語を用いれば、言葉の概念は正確になり、遠く離れた人々にも意思や情報が伝えやすくなる。集団や社会というまとまりでながめれば、やはりアルファベットの普及は人間の世界にはかりしれない影響をもたらしたにちがいない。

長い歴史の視野でながめれば、文明は時代を経るにつれ複雑になりがちであるが、ある時点に至れば単純化に転じる場合がある。それは自然の成り行きであり、なかでも文字の単純化とその普及は画期的な出来事であった。そこに生きる人々にとっては一種の認識能力の革命であっただろう。アルファベットのごとくあらゆる音声を記す文字（音素）すなわち表音文字が開発されれば、やがて覚えきれないほどの数多《あまた》の神々を崇めるという心にも、どこかに変化の兆《きざ》しが生まれても不思議ではない。

2　ヘブライ人の唯一神

文字の整序に神々の統合も

前節では、前二千年紀半ばから、文字表記を簡素化し数少ない文字種で表現しようとする動きがあることに注目した。この文字の簡素化あるいは単純化という動きを「アルファベット運動」と仮によんでおいた。

これと並んで、もし多数の神々をあがめる世界から数少ない神々を拝する世界へと移行する動きがあるとすれば、どこか似ていると言えるのではないだろうか。じっさい、この動きがはっきり姿を現す地域がある。ほかならぬ楔形文字を生みだしたメソポタミアとヒエログリフを考案したエジプトとの狭間にある地域なのだ。そこはバビロニア王国、ヒッタイト王国、アッシリア王国、エジプト王国などが興亡をくりかえすなかで、これらの大国の圧迫にあえぎながら弱小勢力がひしめきあう地域であった。しかも、その地域で原シナイ文字あるいは原カナン文字とよばれるアルファベットの祖型が生まれているのだ。偶然というには、あまりにも偶然すぎると言えなくもない。

カナン地方は、旧約聖書で「約束の地」とよばれてはいるものの、メソポタミアやエジプトのような大河に恵まれた水の豊かな大地というわけではなかった。冬季に降る雨のおかげで完全な乾燥化はまぬがれていたが、その雨水もありあまるほどのものではなく、ただひたすら乞い願わなければ得られないものだった。

このためにカナン地方では、雲、雷、稲妻をもたらし、雨を恵む嵐の神、バアルが何よりもあがめられるようになる。もちろん、カナンの地にある人々がことさらバアル神を奉じて、ほかの神々をおろそかにしたわけではない。しかし、そこにひしめきあう諸々の民は、みずからの危うさを自覚すればするほど、自分の社会への帰属意識は強くなる。いずれの民もみずからの主神に思いをよせ、その神をひたすら祭りあげるようになったであろう。

神々の吸収合併はオリエント各地でみられる現象で、すでにメソポタミアでも、前二千年紀になると、神々の数は三十ほどになっていた。しかし、カナンの地では、その動きがなおさら目立っているのである。そしてそこには、ヒエログリフや楔形文字を生み出した文明にふれながら、ことさら自分たちの経験と記憶を書き記そうともがく人々がいた。

多種多様な神々が乱立する世界と多種多様な文字がちりばめられた世界。それらをできるだけ少なくすることに意を用いる人々がいたらしい。ひしめきあう神々のなかでもわが民の神を至高の存在とする意識と少ない文字種であらゆることを表記しようとする意識とは底流ではつながっているのかもしれない。「一神教運動」というべきものがあるとすれば、それは「アルファベット運動」の精神と共鳴しあうところがあるのではないだろうか。まさしく「初めにことばがあった。ことばは神と共にあった。ことばは神であった。」（「ヨハネによる福音書」一・一）というわけである。

さらには、文明の成熟度のようなことも考えられるのではないだろうか。メソポタミア文明とエジプト文明を合わせて広くオリエント文明ととらえれば、この文明は前二千年紀半ばにはすでに揺籃《ようらん》期から二〇〇〇年が経過している。その間に、民族も制度も組織も諸々が入り乱れ混ざりあい重なりあいながら、ますます複雑になっていただろう。

ところが、それらの雑多さがある段階まで進むと、おのずから整序統合しようとする動きがあらわれるのではないだろうか。われわれの時代になぞらえれば、肥大化した現代文明においては、コンピューターが開発されて多種多様な情報や知識がひとつのシステムとして構造化されている。それと同じように、古代文明にあっては、文字の整序と神々の統合とがあい伴って進んでいたかのようである。その舞台になったのが、メソポタミアとエジプトの狭間にあるカナンの地であった。たんなる偶然であったとは思えないのではないだろうか。

唯一神に仕え団結したヘブライ人

さまざまな勢力がひしめくこのカナンの地に、おくれてやってきたのがヘブライ人だった。ヘブライ人とは彼らが他者の目を意識するときの名称で、彼ら自身はイスラエル人とよんでいる。

ヘブライ人がカナンにたどりつくまでの物語は、旧約聖書の伝承でよく知られている。アブラハムの一族は何世代もの遍歴のすえに、ヤコブの世代にエジプトのゴセンの地に寄留を許される。やがてその地で子孫をふやし、おびただしい数になったヘブライ人に脅威を感じたエジプト人は、彼らに重労働を課して酷使した。長年にわたる虐待に耐えかねたヘブライ人は、指導者モーセに率いられてエジプトを脱出した。これが「出エジプト」とよばれる事件である。

彼らは四〇年間さまよい、次の世代にようやく「約束の地」カナンにたどりつく。だがそこでは、おくれてきた新顔のヘブライ人をしぶしぶと受け入れてくれればましなほうで、敵対する勢力も少なくなかった。彼らはどこにあっても砂漠のなかの寄留者にすぎないのだった。

しばしば、遊牧民と農耕民とは対立的に描かれる。一方には自由ではあるが安住することを知らない人々がおり、他方には隷従《れいじゅう》していても平穏な生活をのぞむ人々がいた。しかし、遊牧民にも二種類あるという。ラクダを主力とする徹底したベドウィンと異なり、羊と山羊を飼いながらオアシスに遠くない場所をロバで移動する半遊牧民がいる。ロバは水のある場所から一日以上離れることができないのである。固定した家屋をもたない天幕生活者であるが、オアシスのある都市住民に接近せざるをえない。彼らは都市住民となんらかの法契約を結ぶことによって生きる寄留民なのである。この意味で、ヘブライ人は半遊牧民であった。

なによりも半遊牧民は休閑牧地の使用権や移動通行権を確保しなければならない。さらに、ベドウィンの略奪にも備えなければならなかった。この点では収穫期にベドウィンの襲撃に悩まされていた定住農耕民と共通するものがあった。相互防衛という目的をかかげれば同盟関係にもなれたのである。

とはいえ、ヘブライ人はあくまで牧草地を必要とする寄留民であった。家畜を飼う牧夫《ぼくふ》の集団として、彼らはなによりも土地を手に入れることを願わざるをえないのである。だから数百年におよぶ遍歴と流浪《るろう》の物語をとおして、そこには明白な主旋律が流れている。それは土地を手に入れ定住することであった。やがて、彼らはついにカナンの地に住居をかまえたのである。

エジプト脱出を記念するらしい過越祭《すぎこしさい》あるいは収穫祭に朗誦《ろうしょう》された信仰告白はこの土地への祈願をなによりも示唆するものであろう。

わたしの先祖は、滅びゆく一アラム人であり、わずかな人を伴ってエジプトに下り、そこに寄留しました。しかしそこで、強くて数の多い、大いなる国民になりました。エジプト人はこのわたしたちを虐《しいた》げ、苦しめ、重労働を課しました。わたしたちが先祖の神、主に助けを求めると、主はわたしたちの声を聞き、わたしたちの受けた苦しみと労苦と虐げを御覧になり、力ある御手《みて》と御腕《みうで》を伸ばし、大いなる恐るべきこととしるしと奇跡をもってわたしたちをエジプトから導き出し、この所に導き入れて乳《ちち》と蜜《みつ》の流れるこの土地を与えられました。わたしは、主が与えられた地の実りの初物《はつもの》を、今、ここに持って参りました。（「申命記」二六・五－一〇）

カナンに定住したヘブライ人はもはや半遊牧民ではなく、農耕民であった。祭日には、田野《でんや》の収穫物を手にたずさえ、聖なる場所に集まり、それを祭壇にそなえた。そして、信仰告白を朗誦するのであった。

かつてエジプトにあったときには、ヘブライ人は隷従を強いられ、いわば奴隷であった。その奴隷体験の記憶はこのさまよえる人々を一体となる「イスラエルの民」として鍛えあげていく。それはモーセの十戒を遵守《じゅんしゅ》し、唯一神ヤハウェに仕える者として団結することであった。無力な民には唯一神と契約して固く結束する以外に砂漠のなかで生きのびる術はなかったのだ。

カナン地方のバアル祭儀

しかし、カナンに安住の地を見出した人々は、緑の耕地を広げながら、農耕民の祭儀へと傾きはじめる。そこにはカナン人の主神バアルの祭儀がはびこっており、かつての苦難にみちた戦いの日々を知らないヘブライ人の世代が生まれていた。

イスラエルの人々は主の目に悪とされることを行い、バアルに仕えるものとなった。彼らは自分たちをエジプトの地から導き出した先祖の神、主を捨て、他の神々、周囲の国の神々に従い、これにひれ伏《ふ》して、主を怒らせた。（「士師記《ししき》」二・一一－一二）

このときイスラエルの民はカナン定住から二百年ほどが経ち絶頂期にあった。前一〇〇〇年頃ダヴィデによって王国が結成された後、その息子ソロモン王の治世は繁栄のきわみにあった。しかし、王国の黄金時代はわずか二世代で終わってしまう。もはや主なるヤハウェへの忠誠は失われつつあった。

この風潮を糾弾《きゅうだん》したのが預言者たちである。というのも、これらの預言者たちにとって、バアル神信仰は、いまわしい偶像崇拝であり、唾棄《だき》すべき多神教であり、淫靡《いんび》な狂信であり、不道徳きわまりない迷信であったからだ。

ヘブライ人のほかにもカナンの地に外からやって来た民族がいた。たとえばフリ人やペリシテ人などである。「海の民」が定住した人々とされるペリシテ人にいたってはセム語系の民ですらない。しかし、彼らでさえカナンの地に定住するようになると、たちまち自分の宗教を忘れ去り、カナン人の宗教に同化してしまったのである。それほどにカナン人の宗教は魅力にあふれていたのだ。

第一巻でもふれたが、最高神にまでのぼりつめるバアルの神話は、海神《ヤム》と死神《モート》との闘争である。これらにあって妹アナト（バアルの女性形はバアラトないしバアナトである）の支援は決定的な役割をはたす。そこにあってバアルは死んでしまうが、やがてよみがえり、アナトと結婚する。花婿バアルの再生は花嫁アナトの勝利がもたらしたものである。勝利の女神と再生の男神との婚姻が祝われ、その歓喜のなかでアナトはバアルの子を懐妊することになる。この女神に宿った生命こそが大地の豊饒を約束するものであった。かくして嵐の神バアルは豊穣の女神アナトと手をたずさえてあがめられるのである。

アドニス祭との酷似

このバアルをめぐる神話はフェニキア人のアドニス祭の神話と類似している。フェニキア人とは「海の民」と接触したカナン人が海洋民族として成長した姿である。そもそもアドニスという名そのものがセム語のアドン（主）に由来しており、彼をめぐる物語はギリシア神話にも入りこんでいる。

女神アフロディテに愛された美少年アドニスは狩りを好んでいたが、ある日、猪の牙にかけられ命をおとす。その流した血のために川の水が真っ赤になり、やがて地中海を真紅の色に染めてしまった。ときはアネモスの花が咲きほこる春であった。春が訪れるたびに、葬送のアドニス祭が行われる。そこで、女たちはアドニスの死を悼《いた》むのである。

ところが悲しみの祭りであるアドニス祭は同時に婚姻を祝する祭りでもある。春を告げる美の女神アフロディテは蘇生《そせい》したアドニスをむかえて結婚する。アドニス祭は悲嘆に始まり歓喜で終わる。そこには死と再生のドラマがくりかえされることになる。

このようにして男神の死とそれを再生させる女神の物語は、アドニスとアフロディテの物語としてギリシア神話にも痕跡《こんせき》をとどめた。このフェニキア人の信じる死と再生の物語はカナン人のバアルとアナトの神話と酷似《こくじ》しており、おそらく同根であろう。さらに、エジプトにも類似した物語があることは、あのオシリスとイシスをめぐる死と再生の神話を思い出せば納得する。

同じことはアナトリア（小アジア）の男神アッティスと女神キュベレとの死と再生の神話でもくりかえされる。人々はアッティスの死を嘆きながら、女神キュベレに犠牲をささげる。やがてアッティスは蘇生し、狂乱の歓喜をもってむかえられるのである。さらに、メソポタミアの女神イシュタルにもまたその恋人であるタンムズがいた。彼は、冥界とも関わりがあり、春の新芽の神でもある。

こうして、オリエントの農耕社会においては、若い男神と偉大な女神による死と再生の祭礼が広くとり行われていた。春がめぐるごとに大地から芽がふき、すくすくと伸びて実り豊かな収穫をむかえる。この大自然を舞台とする単調な死と再生のドラマは、農耕民にとってなによりも願わしいことであった。このドラマの舞台となるのは豊饒を約束する大地にほかならない。だから生命の再生をつかさどるのは大地母神《だいちぼしん》であり、彼女こそまぎれもなく豊穣の女神なのだ。

農耕社会の祭儀にそまる堕落

この死と再生をめぐる祭礼には、祭司が男女ともおり、神託を告げる霊媒者などもいた。神殿には祭壇が設けられ、神像や聖なる象徴で飾られていた。さらには、血の流れる供犠《くぎ》や恍惚《こうこつ》をさそう舞踊や狂乱がともなっていた。カナン人にとってバアルとアラトの婚礼は新たな生命の誕生とともに生命の歓喜そのものであったのだ。そこには新来のヘブライ人を惹《ひ》きつけるものを秘めていた。

砂漠をさまよった末にカナンの地にたどりついたヘブライ人にとって、ここでの農耕定住生活はさぞ魅力的なものだっただろう。豊穣と多産をもたらす神バアルは、ヘブライ人にとっても心地よく受け容れやすく、やがてヤハウェとバアルの混同が始まる。ヤハウェは唯一無二の神であるはずだったが、「主」を意味するバアルはヤハウェの形容詞とみなされたり、別名として崇められたりした。

カナン人の供犠は、聖所に神々への供物を捧げたり、油や水を注いだりする。農耕定住生活のなかでイスラエルの地でも家畜を生贄《いけにえ》にする燔祭が行われるようになっている。イスラエルの民は、このようなカナン人の供犠をヤハウェへの奉納物と見なしていた。

唯一神との誓約に殉じる人々にとって、このような神々の祭儀を行ったり、農耕儀礼を取り入れたりすることは、イスラエルの民の堕落でしかなかった。カナンの神々の祭祀を取り込むなど、もってのほかなのである。だからこそ預言者たちは、ヤハウェこそイスラエルの民に君臨する唯一の神であると主張する。雨を降らせ、国土の実りを約束するのはバアルではなくヤハウェなのだと繰り返し呼びかけることになる。

いかなる都市や部族であれ、自分たちの主神こそが至高の存在であることにかわりはない。とはいえ、ある集団がほかの集団に打倒されたならば、敗者の主神は勝者の主神に敗れたことになる。屈服する者たちは優越する者の神に同化するか鞍替えするか、そこに神々の融合や習合《しゅうごう》がおこる。多神教の神々はその功徳や恩恵において人々に測られる。ときには感謝されることもあり、畏《おそ》れられることもある。あるいは、重んじられることもあり、軽んじられることもある。役にたたないとみなされれば、捨てられたりとり替えられたりもなきにしもあらず、なのである。これらの神々は民族という集団に深く結びついているわけではないのだ。

唯一神を崇め律法を守るイスラエル人

しかし、イスラエル人の場合はこれとは異なるらしい。彼らは神と契約することによって選ばれた民なのである。もし、彼らが負けたとしたら、それは彼らの唯一神がみずからの民に罰をくだしたのである。この神の意志に反したことをなせば、神は近隣の民にイスラエルを攻めさせることすらある。それは彼らを正しい道にもどすためである。唯一神であるから、勝ったり負けたりする神ではありえない。神との契約によって選ばれた民はなによりも正しくなければならないのだ。だから、正しい道を歩むイスラエル人にはヤハウェよりほかの神はありえないのである。

唯一神ヤハウェをあがめるということは、この神があたえた律法にも従うということでもあった。それは正しい道を歩む者に示された指針であった。すでに前三千年紀後半以来、セム語系の人々の住むメソポタミアでは、慣習を成文法となし法典として集大成することがさかんであった。このような法の力にふれながら、イスラエル人はみずから律法を神からあたえられたものとして築きあげていったのだろう。

「ハンムラビ法典」も太陽神シャマシュの名において公布されているように、神によってあたえられた法という観念はイスラエル人に固有なものではない。しかし、律法を守るという点において、イスラエル人はきわだっている。というのも、神の命ずる「戒めと掟」に忠実でない者には災いがふりかかるのであり、主なる神は裁く神(「申命記」二八・二〇)でもあるからだ。しかも、この神はその情念の深さにおいても飛びぬけているのは驚くばかりである。

わたしは主、あなたの神。わたしは熱情の神である。わたしを否《いな》む者には、父祖の罪を子孫に三代、四代までも問うが、わたしを愛し、わたしの戒めを守る者には、幾千代にも及ぶ慈《いつく》しみをあたえる。(「出エジプト記」二〇・五)

なんという主なる神の執拗《しつよう》さであろうか。ここにこそこの神をあがめるイスラエル人が律法を遵守することへの厳しい精神がひそんでいるのではないだろうか。さらにまた問えば、なぜヘブライ人だけがかくも唯一神を崇める遵法精神にあふれる民族となったのだろうか。

われわれはここにヘブライ人のエジプト体験を見ることができるのではないだろうか。エジプト生活を強いられたというよりもそこに先住していた人々であったとさえ想定できなくもないのだ。彼らの出自がいかなるものであっても、この民がエジプトに永く住んでいた人々であったことは確かである。そして、第一巻でみてきたように、かの地エジプトにあっては、マアト主義ともいえる精神が人々の心の底に根づいていたという。

エジプト人は、真実《マアト》も秩序《マアト》も正義《マアト》もすべてを一つの言葉「マアト」でつつみこむことができるのである。彼らはこのマアトをこよなく愛してやまなかった。なかでもこのマアト熱愛者の典型であったのが唯一神アテンに帰依したファラオのアクエンアテンである。神々を斥《しりぞ》け、唯一神を崇めるという生き方のなかには、ひたむきさとでもいえる心構えがひそんでいるのかもしれない。アクエンアテンの唯一神への宗教改革は、彼の死後にはすっかり影をひそめたようにみえたが、しかし、エジプトに永く住んでいたヘブライ人の心の底にもマアトの思念がとうとうと流れていたことはまぎれもないのではないだろうか。

ひたすら唯一神ヤハウェを崇め、神から授かった律法に忠実であらんとした人々がいた。このイスラエル人の熱意と純粋さはなによりもマアト主義の精神にかなっているように思われる。というよりも、彼らが唯一神と律法に誠心誠意を尽くせば尽くすほど、その心の姿はマアト主義に貫かれていたと言ってもいいだろう。

もちろん、やがてユダヤ教が成立するという出来事にいたるなかで、ヘブライ人はさまざまな試練をくぐりながら、イスラエルの民として自覚を深めていく。その出発点には、かつてエジプトで自分たちは奴隷であり、そこから選ばれた民として脱出し流浪したという艱難辛苦《かんなんしんく》の物語があった。この出エジプトの歴史的体験はそのまま社会における弱者を理解し配慮することを心がけさせる。その自覚を深めながら、唯一神ヤハウェをあがめる人々は心に刻みこむ。だから、この苦しみに満ちた体験は風化させてはならないのである。この体験を記念し語り伝えるために過越祭を主の祭りとして祝うように聖書は命じるのだ（「出エジプト記」一二）。過越祭そのものはもともとカナンの地に伝わる春祭りを祖型にしているらしい。しかし、民族の誕生をもたらした苦しみをことさら強調することによって、イスラエルの過越祭はその特異さできわだっている。

なにはともあれ、出エジプトの歴史的体験を忘れてはならない。それは社会における弱者の立場に思いをよせることでもある。これら弱者のなかでも寄留者、孤児、寡婦《かふ》にはことさら配慮しなければならないのだ。


寄留者や孤児の権利をゆがめてはならない。寡婦の着物を質に取ってはならない。あなたはエジプトで奴隷であったが、あなたの神、主が救い出してくださったことを思い起こしなさい。わたしはそれゆえ、あなたにこのことを行うように命じるのである。

畑で穀物を刈り入れるとき、一束畑に忘れても、取りに戻ってはならない。それは寄留者、孤児、寡婦のものとしなさい。こうしてあなたの手の業《わざ》すべてについて、あなたの神、主はあなたを祝福される。オリーブの実を打ち落とすときは、後で枝をくまなく捜してはならない。それは寄留者、孤児、寡婦のものとしなさい。ぶどうの取り入れをするときは、後で摘み尽くしてはならない。それは寄留者、孤児、寡婦のものとしなさい。あなたは、エジプトの国で奴隷であったことを思い起こしなさい。わたしはそれゆえ、あなたにこのことを行うように命じるのである。

（「申命記」二四・一七－二二）

イスラエルの民は虐げられ抑圧され、その苦しみに耐えてきた。だからこそ社会の底辺であえぐ人々に同情し、律法においても配慮せざるをえないのだ。この虐げられた弱者という立場は歴史的体験の記憶をよびさますだけではすまなかった。歴史の現実としても苦しみの体験はつづくことになる。

アッシリアの支配に続きバビロン捕囚も

イスラエルの人々は約束の地カナンにあっても周辺の都市国家や部族国家とはてしない抗争をくりかえした。ダヴィデとソロモンの王国が形成されても、その栄華は永くつづくことはなかった。やがて前九二二年、王国は分裂し、北の諸部族はイスラエル王国をつくり、南の諸部族はユダ王国を築くことになる。しかし、混乱はやむことなく、イスラエルの民には艱難辛苦が荒波のごとくおしよせた。

そのころオリエントにはふたたび大きな軍事力をたくわえた国家が登場していた。騎馬軍団をもつ大国としてアッシリアが覇権を広げるのである。アッシリアの拡大は最初の世界帝国とよばれるほど

「黒色オベリスク」に描かれた、アッシリア王に跪くイスラエル王イエフ。大英博物館蔵

であり、その征服活動は周辺の弱小勢力には脅威であった。大英博物館に展示されている「黒色オベリスク」にはアッシリア王に跪《ひざまず》くイスラエル王イエフの惨めな姿が浮き彫りにされている。やがて前八世紀には北のイスラエル王国はアッシリアに滅ぼされてしまう。前七世紀末、アッシリア帝国が崩壊すると、オリエント世界はリュディア、カルデア、メディア、エジプトの四つの勢力が分離し、対立することになった。

　この四国分立のなかで、カルデアはやがて新バビロニア王国として覇権を打ちたてる。この大国は前五八七年にユダ王国をも滅ぼし、イスラエルの民は新バビロニアの覇権にのみこまれてしまう。彼らのなかには強制移住させられた者も少なくなかった。とりわけ新バビロニア王国の都バビロンに連行された人々には新たな試練が待ちうけていたのである。これらの人々は強制連行された後、三世代にわたって異郷の地にとらわれることになる。この出来事はバビロン捕囚《ほしゅう》（前五八六～前五三八年）として名高いものである。

　このような永い受難の歴史のなかで、唯一神への信仰と民族の結束を説く預言者があいついで現れている。前九世紀のエリヤ、前八世紀のアモスなどはイスラエル人がバアル崇拝などのカナンの地方祭儀に染まっていることを激しく非難した。さらに、アッシリア帝国の脅威が迫っていることから、歴史の主としての神を力説し、その神こそがイスラエルの民を受難させる唯一神であると唱えるようになる。それはアッシリアが世界帝国としての相貌《そうぼう》をもつ時代であった。時代は普遍的支配にふさわしい民族宗教を超える普遍的な神を模索するようになっていた。

バビロン捕囚前後のエレミヤ、エゼキエル、イザヤなどの預言者はこのような普遍性のある神を父としてあがめる。さらには異国の地に住まざるをえなくなった者にもモーセ以来の律法を厳しく守っていくように主張した。とりわけバビロンに捕囚された人々はそれによってひとつの民族としてのまとまりを強烈に意識するようになった。

その辛く苦しい経験をくぐりぬけながら、ユダヤ教が成立し、ユダヤ人の国家が形成されるのである。ユダヤ教は神を天地万物の創造主とする「創世記」やモーセにまつわる伝承などを聖典として編《へん》纂《さん》していくのだが、それは後に「旧約聖書」とよばれるようになる。そこには、ヘブライ人がイスラエルの民として自覚を深める姿が描かれている。だが、このとき皮肉にも、ユダヤ教は民族宗教や国家宗教の枠におさまらず、超越神の信仰へと向かう動きも出てきたという。

世界史のなかの「枢軸時代」

前一千年紀半ばのユーラシア大陸といえば、ギリシア、オリエント、インド、中国が先進文明地域であった。これらの地域においては、宗教や思想が国家や民族という枠のなかだけで思慮されるにとどまらない段階にいたっている。ギリシアではホメロスから自然哲学者を経て、ソクラテス、プラトンが現れている。インドではウパニシャッド哲学が出現し、仏陀《ぶっだ》が生まれている。中国では孔子《こうし》と老子《ろうし》が生まれ、諸子百家《しょしひゃっか》が雷鳴をとどろかせた。二〇世紀ドイツの哲学者ヤスパースはこの数世紀間を普遍史としての世界史の「枢軸時代《すうじくじだい》」という概念でとらえることを提唱している。

これらの指導者は世界観の改革運動を始め、それらは庶民大衆の間でも広範な支持層をえることになる。なぜこのような類似した現象がほぼ同時代の各地で出てきたのだろうか。それについて詳細に検討すれば、おそらく数十冊におよぶ大作が書かれなくてはならないだろう。ここではただ以下の点だけを確認しておきたい。

一つは、文字の発明から二〇〇〇年以上を経て、それらの文字が簡素化されながらある程度の広がりのなかで普及したことがあげられる。地中海世界にあっては、前二千年紀後半のアルファベット運動のなかでフェニキア文字が確定し、やがてヘブライ文字、アラム文字、ギリシア文字などへ広がっていった。民衆のなかにも読み書き能力に長じる人々もふえていただろう。

もう一つは、交易がさかんになり広い範囲での情報が交換されるようになったことも無視できない。ことに穏やかな内海としての地中海は海路による人と物資の交流がことのほかさかんになってきた。さまざまな情報が比較されたり混ざり合ったりすれば、それらの知識のなかから新たな観点や試行が生まれることにもなるだろう。

おそらく民衆の教育水準はいくらかでも上昇しただろう。身の回りの狭い世間だけではなく広い視野で物事を考える人々も出現していた。自然の真理、社会の正義、人間の倫理といったことについて真剣な問い掛けがなされ、預言者や改革者は真理・正義・倫理を説く。神をめぐる彼らの想念はもはや国家や民族に狭くとどまらないものになっていくのだった。

オリエント世界は、アッシリア帝国やそれにつづくペルシア帝国の覇権の下にあり、それらの広範な支配にともなって、旧来の民族神や国家神の意識から抜け出しつつあった。オリエントにおいて、この種の改革運動は、一つは前述したイスラエル人の預言者たちに見てとることができる。もう一つはイラン高原における預言者ザラスシュトラ（ゾロアスター）の宗教運動である。

ゾロアスター教の広がり

前四世紀、ギリシア人がイランの祭司団から聞いたところでは、ザラスシュトラは二〇〇〇年前に生存していたという。さらに数世紀さかのぼると考えられるふしもあり、確かな活動の年代は不明である。

さかのぼれば、前二千年紀には、印欧語系の人々はインドとともにイラン高原にも進出している。しかし、イラン高原では先住民に同化吸収されてしまった。そのころ鉄器と騎馬術が急速に普及していたので、新たな戦士団が形をなしつつあった。旧来の因襲《いんしゅう》にともなう秩序はすたれ、社会は混乱するばかりだった。

このような混迷にみちた世に生まれ、人々の苦難のすさまじさにザラスシュトラは心をなやませた。彼には真の神は唯一のものであるという確信があった。その神とは叡智《えいち》と光明の創造神であり、善を実現する。しかし、混迷の世にはこの光と善をふみにじる闇と悪の霊力が対立するのである。善には正義、秩序、美がよりそい、悪には邪悪、虚偽、憤怒《ふんぬ》がともなっていた。人々は善意と愛情にあふれ結婚し子供を育て仕事に勤《いそ》しめば、救済にあずかることができる、とザラスシュトラは説く。

ゾロアスター教はしばしば二元論の宗教といわれる。しかし、その教えるところは、光と善を実現する唯一の神である。善を推進する途上に、魂における善悪の葛藤があり、正義に従った者だけが救済される。なぜなら、それらの者は死後の最終審判において天国に行くことができるのである。そこには人々が魂を光と善の神に捧げることが求められており、きわめて強い倫理観がひそんでいる。後世には目新しいことではないにしろ、当時としてはまったく革新的な考え方であった。さらに救済に男女差を考えない点でも革新的であった。

やがて、ゾロアスター教は、イラン人の移住していたイラン高原全域に広がっている。前六世紀にペルシア帝国がオリエント世界をおおう世界帝国となった時代には、民衆にも広く信仰されるようになったという。なによりも善行によって救済されることが説かれ、そのために信仰者に義務を果たすことが求められた。唯一神に奉仕することは倫理に従って生活することでもあった。ゾロアスター教にあっても、唯一神と倫理が深く結びついていたことは留意すべきであろう。

神々を否定する唯一神信仰者

ここでは、前一〇〇〇年に前後する数百年の間に、唯一神をあがめる一神教への動きがあることをたどった。イスラエルの民によるユダヤ教の成立にいたる歴史を中心に語ったが、それよりも、前一四世紀のアクエンアテンの信仰以降、唯一神信仰者の集団が形成されたという出来事が重要なのである。

じつのところ、多神教と一神教の区別は曖昧《あいまい》であり、はっきり線引きできるものではない。多神教のなかにも至高神のような一神教的側面もあり、一神教のなかにも聖者崇拝のような多神教的側面もある。たとえば、複数の神々の存在を認めながら、ある個人がひたすら一つの神格のみを崇めることもあるという。この信仰の形は単一神崇拝とよばれることがあるが、これと唯一神崇拝とはどこに差異があるのだろうか。おそらく、信仰の姿勢としては似かよっていても、ほかの神々を排斥するか否かという一点で異なっているのだろう。

しかも、唯一神を奉じるヘブライ人あるいはイスラエル人が「契約の民」とよばれていることは注目される。その宗教の核心に唯一神と民とが契約するという観念があるのである。神と人とが契約するという発想はなんとも独特であり異様ではないだろうか。現実には多神教世界のなかでデキモノのように突起した一神教信仰だった。神々をあがめる世界であれば、いずれかの神に帰依《きえ》すればそれでいいことになる。しかし、一神教ではほかの神をあがめてはならない。唯一神信仰はほかの神々を否定するという形でしかありえないのだ。だから、神との契約が結ばれ、人々は永遠の義務を負わされることになる。しかし、その契約によって彼らは抑圧と差別からの解放を得ることができるのである。なんという希望であり救いであろうか。

多神教社会では、神々は人間に他人から見て「正しくふるまう」ことを求める。人間社会には妥当な規範があり、そのルールを守って行動すればいいのである。個人が心のなかで何を思い何を感じるかは問われない。多神教社会の出口にいたモーセも「殺してはならない」「姦淫《かんいん》してはならない」「盗んではならない」とは命じたが、心のあり方にまでは立ち入らなかった。ただ一つの戒め「あなたには、わたしをおいてほかに神があってはならない」だけが心の内面にまで立ち入ってくる。だからこそ、「あなたはいかなる像も造ってはならない」のである。というのも、偶像が造られれば、礼拝は形だけのものになりがちなのだ。

ここには神々の声がささやかなくなったときの人間の姿がある。もはやひたすら唯一なる神声を聞こうとして祈るしかない。神々が沈黙するにつれ、全知全能の神だけにしかすがれない、と人々が感じるようになったのかもしれない。

3　貨幣の出現

物々交換を仲介するもの

しばしば「お金」は命の次に大切なものと言われたりする。また、税金と売春は有史以前からあった、という冗談がささやかれることもある。だが、われわれが慣れ親しんでいる貨幣はそれほど古いものではない。

今日、硬貨とよばれる鋳造貨幣は、史上に登場した当初は、金属の塊に打刻して痕跡《こんせき》を残したものだった。そのような意味での硬貨の出現は、アナトリア高原西部のリュディアが最初であり、前七世紀より以前にさかのぼることはないという。このころのアナトリア高原には印欧語系のリュディア語を話す先住民がいたが、すでにギリシア人が植民しており、少なくともギリシア文化の影響は強かったらしい。それゆえ、最初の硬貨はオリエント文化とギリシア文化が接触する世界で生まれたということになる。

しかしながら、このような意味での硬貨が出現する以前にも「お金」のごときものがあったにちがいない。人々が物資を交換し取引をするかぎり、それらが等価であれば問題ないが、不等価なときには何で決済するのかという事態になる。そのような手段にはどのようなものが用いられたのだろうか。

そもそも「お金」の役割として、三種類の古典型が考えられる。第一の役割としては交易の「支払い手段」であり、第二は「通貨単位」であり、第三は「富の表現」である。これらの役割を並べれば、「お金」としては種々の手段となる物品があっただろう。それらの物品としては、まずは腐敗しにくいものであり、次に恒常的に需要があるものでなければならなかった。

史料として確かめられるかぎりでは、前三千年紀末以降のメソポタミアでは、羊毛、ナツメヤシ、魚油、干物・燻製《くんせい》の魚類、獣皮などがあげられ、とりわけ大麦や小麦は格別であったという。当時の詩人のなかには「黄金をもつ者も、銀をもつ者も、牛群をもつ者も、羊群をもつ者も、……　大麦をもつ者の門口に立っているしかなく、そこで一生を過ごすしかない」と詠《うた》っている。つまるところ種々の手段のなかでも大麦がすべてに勝《まさ》ったということになる。

とはいえ、大麦が勝るというのも、なによりも生活手段が物をいう時代であったからだろう。生きていくための食糧として必要だったからである。ところが、いささか後の時代になると「富の表現」が重んじられるようになり、銀が勝利者になっていく。耐久性があり、重量単位で計る価値もあり、持ち運びしやすいという利点もあった。これには黄金も該当するが、なにしろ銀の一〇倍近い価値があり、あまりにも貴重すぎたのである。個人が持ち運びするには危険がともなっていたのだ。

銀への執着

このように概観すると、銀は身につけて持ち運びできるのだから、すでに一種の「お金」であったと言えなくもない。じっさい銀製の円環（あるいは螺旋状帯紐《らせんじょうおびひも》）がオリエントでは数多く発見されており、しかもいずれも重量が一定しているというから、「支払い手段」としても役立ったにちがいない。さらに、古バビロニア時代には品質保証が印《しる》された銀製破片も見つかっており、「鋳造貨幣以前の通貨」とよんでもいいだろう。

しかしながら、これらの「お金」としての銀が通用するのは、商人どうしの間でしかなかっただろう。これらの取引活動については、商人の収支決算報告のような記録が確認されている。さらには、シュメール末期の格言集にも収められたものもある。

「商人はどれほど私から銀を奪い取ったか、またいかに大麦を私から奪い取ったか」
「お金を作りだすのが商人の仕事」
「ごまかす商人。……それはシュメールでも知られていないわけではない」

ここには詐欺もどきが当然のような商人の姿がある。これらの商人が信頼しがたい人間だったこと、「お金」としての銀に執着するずる賢い連中がいたことが偲ばれる。あげくの果てには、「商人には友というものがない」と嘲笑されることになるのだ。

このようにしてみると、前三千年紀末期には「お金」のごときものがあったことは確かだろう。商取引の痕跡は数多くあり、書簡には取引の動機を記すものも残されている。注文したり、（現物で）支払手形のような約束をしたり、大規模な集荷センター宛に振り出される持参人払いのものもあるという。これらの注文書簡は現代の銀行手形に類似するという意見すらあるらしい。

だが、商人の世界以外となると、その役割ははなはだ小さかったにちがいない。まず、貨幣経済あるいは市場経済などがあったわけではないのだ。小売りの取引があったとすれば、あくまで物々交換でしかなかっただろう。家内で生産された作物を家内では生産できない必要な作物と交換するのだ。たとえば穀物と乳製品の交換などはありふれていたにちがいない。それらを持ち寄って、定まった日に物々交換の集会があったことなどは想像できることである。

オリエント西端での硬貨誕生

メソポタミアやエジプトなどのオリエント世界が物々交換の段階にとどまっていたとき、ギリシア人の世界も大差はなかった。今日では、ミュケナイ時代の線文字B文書がギリシア語として解読されたために、その時代が崩壊した以前にも、ギリシア人がいたことは常識になっている。

前一二世紀頃から東地中海世界の諸王国は崩壊し、広く混乱と激動の時代をむかえた。しばしば、この数百年は暗黒時代とも英雄時代ともよばれるが、文字史料がないために曖昧な印象しか残っていない。だが、この時代に、ギリシア人は鉄器を導入し、アルファベットを採用し、製陶技術を磨《みが》きあげている。

ホメロスの英雄叙事詩『イリアス』と『オデュッセイア』はこの曖昧模糊とした時代に口頭伝承と

最初の硬貨、リュディアのエレクトロン硬貨（下）は、トルコ西部、エフェソスのアルテミス神殿（上、永山浩庸撮影）の土台から発見された

して詠い継がれてきた。吟遊《ぎんゆう》詩人たちは、貴族の館や民衆が集まる祭典において、それぞれに工夫や演出をこらして聴衆の前で腕を競ったのである。叙事詩の舞台となるのはミュケナイ時代末期のトロイア戦争とその後日談であるが、詩人たちは目の前にある社会や習わしをかえりみることなく舞台となる時代にも持ち込んだにちがいない。同時代の人々にわかりやすい物語でなければ、数百年も語り継がれてはこないだろう。

人々はほぼ農業と牧畜を生業《なりわい》としていた。農夫は耕牛による犂耕《りこう》を行っていたらしい。ここでは、矢じりや戦車の車軸などの武器だけでなく、斧《おの》や鎌《かま》などの生産用具にも鉄が用いられていたことが注目される。手工業としては、陶工、冶金《やきん》師、金銀細工師、大工、船大工などの職人がいた。また、医者や吟遊詩人などの専業職人もいた。

商業交易については、ミュケナイ時代には見られた王族間の贈り物の交換はあったにしても、交易や交換よりも略奪する方がましだと見なす者も少なくなかった。フェニキア商人にいたっては軽蔑すらされていたという。貨幣が未だになかった時代であるから、交易や交換が正当なものとは感じられなかったのだろう。オリエント世界もギリシア世界も大同小異であったのだ。やがて、この両者が接する地域で貨幣が生まれるのである。

最初の硬貨はリュディアのクロイソス王の治世（前五六〇～前五四六／五四五年）に建てられたエフェソスのアルテミス神殿の土台のなかで発見されている。だが、その土台は四層をなしており、それ以前に三つの建築があったことが推測される。そのために、今日でもどの層に由来するのか、明確ではないという。それでも、前七世紀末頃だというのが広く認められている。

最初の硬貨は合金製であった。その純度はさまざまであったが、重さは正確であったという。硬貨として使われるからには、定まった価値として容認されなければならなかったのだ。しかも、一定地域で出まわるなら、いささか過大評価されたほどの価値でよかったという。真正の価値があるとしたら、外来の商人たちが持ち去っていくことが危惧《きぐ》されたのである。

そのような事情であったが、やがて、クロイソス王の時代から銀製の硬貨が現れ、前六世紀末にはほとんど銀貨になっていったらしい。

特別手当として与えられる

ところで、これらの硬貨は、アリストテレスが示唆しているように、当初から取引を容易にするために使用されたのだろうか。どうも事はそれほど単純ではないらしい。というのも、この場合であれば、日常必需品の小売取引を前提にしているからである。

だが、硬貨が、合金製、銀製、あるいは金製にしろ、最小限の価値のものでもかなりの額になり、パンの一片を売買するような額ではないという。だから、小売取引がなされるなら、少額の貨幣が出まわっていなければならないということになる。おそらく、青銅貨、あるいはかなり純度の低い銀貨が鋳造されるようになってからであり、前五世紀後半頃からという。

そもそも硬貨は傭兵《ようへい》の報酬として鋳造された、という意見が広く受け入れられてきた。だが、傭兵が同じ地域で生活するならばいいが、外来者が多いのだから、ほかの地域に移動すれば過大評価の硬貨はそのままでは通用しないことになる。むしろ、この反論の方に説得力があるのではないだろうか。

しかも、初期の硬貨は、王家や国家が公認したものだけではなく、私人の刻印も少なくないという。それは過大評価の硬貨が流通することを保証できるほど影響力のある実力者ということになる。

そもそも硬貨の起源をたどれば、それらは真正価値以上に評価されている。むしろ公人であれ私人であれ、硬貨に刻まれた印章そのものが信頼に値したのである。そのような硬貨であるなら、もちろん交換されなければ日用品を手に入れることはできない。この段階の経済では、雇用される者は労働したことの報酬として衣食住が与えられるのだった。そこでは小売取引でそもそも日用品を確保する必要はほとんどなかったのである。

しかしながら、一定の仕事が終了したときに、一種のボーナス（特別手当）として金属製品が与えられることがあったという。ここでいうボーナスとは、ひとまずお別れする者への贈り物であり、仕事を果たしたことへの謝礼であっただろう。これらのボーナスであれば、東地中海一帯で広く古くから行われていたらしい。このような社会では、労働奉仕する者たちは主人と強く結びついていたのである。

そうであれば、そこに硬貨が持ち込まれたということは、これまでの贈り物や謝礼を標準化し規格化する目安が生まれたということになるのだ。この最初の段階では、この種の硬貨は広い意味での報酬であっただろう。だが、標準化され規格化された報酬であれば、それが広く流通してもいいことになる。

言いかえれば、硬貨を鋳造した者の刻印が大事だった社会ではなく、硬貨の重量が標準化・規格化されていることが広く受け入れられる社会になりつつあったというべきだろう。公人であれ私人であれ実力ある主人との結びつきが希薄《きはく》になっていったということだろうか。実力者個人の権勢よりも、貴金属の重量あるいは含有量が保証されていることが人々の日常生活のなかで重きをなすようになったのだ。このようにして物品の交換がなめらかに進むなら、硬貨も悪くないということになる。

さらにまた、硬貨の重さが定量であれば、金・銀の貴金属だけではなく、青銅貨や銅貨も出てくるようになる。むしろ、雑多な日常品の小売取引では非金属でも気にならないという事態にもなる。しかし、そこまでいたるには、まだ初期の段階では数百年を要することだった。

「価値尺度」としての通貨

貨幣の誕生についてさかのぼれば、このような報酬として与える慣習がより広い地域で採用されていくにつれ、硬貨がさまざまな取引で通用することが感知されるようになったのだろう。たとえ多少の過大評価があっても、支払い手段として通用することが人々を魅了する。場合によっては、それらを蓄積すれば、富という一種の力にもなるわけだ。

このような道筋でふりかえってみれば、きわめて初期の段階であっても、貨幣は基本的な三つの機能を備えていると言える。交換できる「支払い手段」であり、価値尺度をもつ「通貨単位」であり、所持者の力としての「富の表現」である。それらのいずれもが、硬貨の登場で人間の社会に鮮明な形で念頭に浮かぶようになったのである。

なかでも、「通貨単位」となる価値の尺度こそが根本となるのではないだろうか。それまでも度量衡《どりょうこう》の整備あるいは統一であれば、古代の人々も経験していただろう。長さ、重さなどをどのような単位で計るかは大事なことだった。たとえば、大麦や小麦のような穀物であれば、重量か容量で計られたにちがいない。一定の升《ます》のようなものに入った小麦が山羊の乳のいかなる容量に対応するかは、当事者どうしの交渉で決められるか、慣例として決まっていただろう。その場合、狭い地域内での交渉や慣例であって、ほかの地域の人々が関わる余地はなかった。そのような日常生活の社会が長い歴史にわたってつづいていたのである。

しかし、狭い地域であっても、部落や村落の規模が拡大することもある。豊作がつづいたり、戦争や疫病が少なかったりすれば、住民が多くなるだろう。人口が増大すれば、社会の分業も樹木の枝葉のように広がっていく。その地で生産されたものであっても、かんたんには交換できない物品も出てくる。

さらにまた、遅々《ちち》たる歩みであっても、やがて歴史の裂け目がほころぶ。ほかの地域の人々とふれあう機会があり、それが重なるにつれ、さまざまな情報が伝わってくる。狭い地域内では手に入らないものでも必要なものや便利なものについて知る機会がふえる。その種の需要が生まれることになる。それまでは得体の知れない存在として退けられがちなよそ者であったが、よそ者のなかにも役立つ者がいることが感知される。

このようにして、地域内にあっても地域外にかかわっても、それぞれ生産した物品を交換すればいいという相互理解が生じてくるにちがいない。一見すれば交換できそうもない品々であっても、その間に何かを介することで手に入れることができる。われわれにとっては当たり前のような手続きが、ある歴史の裂け目で、開けてきたのだ。

それが価値の尺度としての硬貨であり、それは「価値」の発見とも言えるものだった。広範囲にも恒常的にも通用する「価値」としての硬貨であれば、それは人間の社会にとってどのような意味をもつのだろうか。

かつて硬貨が最初に登場したとき、公人私人を問わず、実力者の刻印が重きをなしていた。有力者の主人と受け取り手の奉仕者との結びつきは強かった。だが、ほどなく貴金属の重さ（含有量）が一定量のものとして保たれるようになるにつれ、硬貨はそれ自体として価値をもつようになる。ここには、一方では主人と奉仕者との結びつきが失われていく流れがあり、他方では誰もが認知する価値ある硬貨を通じて、他者どうしが広く結びつくという流れがある。言いかえれば、狭い上下の結びつきが弱まり、広い水平な結びつきが強くなるということではないだろうか。

価値尺度の統一と自由な人間関係

同じ古代といっても、貨幣というものを知っていた前五世紀以後のギリシア人や前二世紀以後のローマ人であれば、貨幣を使用することに、それほどのためらいは感じなかったであろう。だが、前七～前六世紀のギリシア東端にあるイオニア地方のリュディアで、貨幣としての硬貨を使うようになったとき、人々はそこにどのような意味を見出したのであろうか。

少しばかり珍しい金属の塊があり、それと交換すれば手に入るものもあるらしい、という類の思いだったのではないだろうか。なんとなく役立ちそうだが、持ち歩くとなると面倒くさいというほどのことだっただろう。さらにまた、貨幣の使用が広く行きわたるなどとは想像もつかなかったにちがいない。もっとも、古代社会を通じて全面的に貨幣経済が発展したわけではないのであり、近現代社会の貨幣経済あるいは市場経済をそのまま重ねないでいただきたいのだが。

まして、貨幣を使うことが、人間の社会や人類の歴史にどのような影響をもたらすのか、などの問いかけは想像を絶することだっただろう。人類史あるいは文明史を長期にわたってながめられる立場にあれば、貨幣の使用が始まったことで人間の社会は大きな転換期をむかえていたことがわかる。

まずは、なによりも交換という手続きが簡略になったことである。自分の家で生産したものの余剰があれば、こちらに今すぐ必要な物がなくてもとりあえず売って貨幣にしておけばいいのだ。必要な物が生じれば、それを探して貨幣と交換すればいいのだ。さまざまな小売取引がありふれているわけではないが、定期的に開かれる市場であれば、あるいは小売商が訪ねてくることがあれば、手に入らないわけではない。

このような日常生活における貨幣の使用は、交換手段が規格化され、あるいは価値尺度が統一化されていくという意識をもたらしたにちがいない。その底流において、物事を抽象的に考えるような精神的土壌が生まれつつあったと指摘する学者もいる。そこに、オリエントの先進文化を吸収しながら、ギリシア人の自然学・人間学が抽象的思考によって深められていく出発点の一つがあったと言えるかもしれない。

次に重要な転換といえば、人間関係が上下関係や近親関係からいささかでも自由になったということである。ここでは「いささか」という控えめな言葉を用いたが、じっさいはそれ以上のものであった。というのも、この変化とは、長い時を経てはっきりしてくることであり、しかも、明確に因果関係の糸をたぐれるようなものではないのだ。

貨幣の誕生はオリエントとギリシアの狭間にあるイオニア地方のリュディアである。もともとオリエントの西端にあってアナトリアの先住民が住んでいた地域である。そこに前八世紀頃からギリシア人の植民活動がさかんになり、イオニア地方にも数多くのギリシア人が訪れ定住してきた。

この二つの文化圏の境界にある地域で誕生した貨幣であるが、その後の経過を見ると、この二つの世界には違いがくっきりしており、興味深いものがある。というのも、ギリシア世界では貨幣の使用が徐々にとはいえ円滑に進展したが、オリエント世界ではそれほど順調ではなかった、あるいは、かなり遅れたということである。たとえば、エジプト社会では前四世紀後半にアレクサンドロス大王が到来するまで、正規の貨幣制度は成立しなかったという。

この差異はどうして生まれたのであろうか。物資の交換に貨幣が介在することがどのような結果をもたらしていたのか。上下関係の絆《きずな》が希薄になり、人と人との結びつきが緩やかでかなり自由になったということを指摘した。

しかし、この「自由さ」はリュディアの以東に広がるオリエント世界と以西に広がるギリシア世界ではかなり異なっていたのだろう。簡潔にいえば、オリエント世界では上下の絆が強固であり、ギリシア世界では「自由さ」が広く受容されたということである。その結果がもたらした差異は、世界史上、鮮明なほどの違いを生じさせたかのようである。

ギリシア世界において直接民主政が誕生したことは、誰もが知っている。この民主政が成立するための精神的な土壌として「自由さ」があるということも誰にも理解できることだろう。この「自由さ」が貨幣の使用によって政治的な人間関係にまで結実したという一面もあるのではないだろうか。

もちろん、もともと前八世紀以後のギリシア社会では、かつてのオリエント＝ミュケナイ型の強権的な王政が崩壊し、在地豪族が率いる穏健な社会であったこともその基底にひそんでいる。それに加えて、貨幣経済がもたらした自由な人間関係がギリシア人の人間関係のあり方にほどよく適応していたこともあるのではないだろうか。

多様・複雑な文明の一様化・単純化

ところで、本章では、「アルファベットの誕生」「一神教の成立」「貨幣の出現」と相次いで論じてきたが、この三つの出来事はなんらかの密接な関わりがあるのではないだろうか、それが究極の問いになる。というのも、これらの三つの現象は、前一〇〇〇年をはさむ前後の数百年の間に東地中海世界のなかでおこっているのだ。

もちろん、このような関連について、それを明確に説明できると思っているわけではない。「アルファベット」「一神教」「貨幣」という三つのテーマそれぞれのなかでも、問題は複雑に絡み合っている。まして、それら相互の関連となると、問いかけること自体がためらわれるだろう。狭義の歴史学としての実証史学があり、その足場に立てば、およそ取り上げるに値しないテーマと思われるのではないだろうか。

しかし、実証史学の枠内におさまることだけが現実の出来事だったわけではない。大切なことは、そのような問いかけをもつことによって、大きな視野で歴史をながめることである。人類の文明史という大河がどのように流れてきたか、その軌跡をたどることがここでは肝要である。

およそ一万年以上も前に氷河期を脱して、温暖化がおこり、やがて地球規模で乾燥化が始まった。水資源を必要とする人々は大河の畔《ほとり》に集まり、都市が生まれる。そこでは文字が開発され、それとともに文明が誕生する。

この文明社会はどのように発展していくのだろうか。農作物のみならず、さまざまな物品が生産されるようになり、それらの産物が地域間で交換される。貧富の格差が生まれ、社会階層が分化し、身分の差異が明確になる。産物と産物の交換だけではなく、人と人の交流が頻繁《ひんぱん》になり、情報の交換もさかんになる。それとともに、輸送・交通手段も開発され整備される。

かくして文明社会はますます多様になり複雑になる。さらに多様化・複雑化が進むと、張りめぐらされた網の目は入り組んで相互の結びつきがわかりづらくなる。そのような混迷がつづけば、いずれそれらは一様なもの、単純なものに整理しようとする動きが現れる。それが自覚されているかどうかは、ここでは問題ではない。重要な動きとは一様化・単純化を推し進めようとするベクトルのような力がどこからともなく生まれるということではないだろうか。

わかりやすくするために、現代の文明になぞらえてみよう。一八世紀には、世界の人口は一〇億人に満たなかったが、今や八〇億人を超える勢いにある。この二〇〇年間にいったい何がおこったのだろうか。

一八世紀後半、蒸気機関が改良され、水力や人力をこえた動力源が登場する。いわゆる産業革命によって、機械化が進み、製鉄業や機械工業が発展すると、経済の主軸は農業よりも工業に移行した。この工業化は流通や消費のあり方にも大きな影響をおよぼし、生活様式も著しく変化する。海上の蒸気船、陸上の鉄道が開発され、運河の建設や道路の整備も進んだ。

自然科学および科学技術の進歩にともなって、技術革新がおこり、一九世紀末には自動車が道路を走り、二〇世紀になると飛行機が空を飛んだ。その飛行機も推進力で区分すれば、まずプロペラ機があり、やがてジェット機が登場する。

空間の移動は、より早くより遠くへ、できるようになり、人々や物資の交流がとてつもないほどさかんになる。それとともに、通信機器の進展も目をみはるものがあった。郵便から電話へ、固定電話から携帯電話へと発展し、今やパソコン上のネット網を通じて世界中の情報を瞬時に収集できる情況にある。

これらの技術革新のなかでも、二〇世紀後半におけるコンピューターの開発は、ことさら文明の様相に著しい変化をもたらしているのではないだろうか。技術革新の歩みのなかで、どこか異質な次元へ飛びこんでしまったかのようである。

交通手段や通信手段が発展し、それにともなって、人々、物資、情報の交流が国や言語や宗教などをこえてグローバルな規模で実現している。それらが交錯するなかで産みだされる知識・記録の量はおびただしく、もはや森林の大海原と形容してもしきれないほどである。

このような文明が膨大になり錯綜《さくそう》していくにつれ、はち切れんばかりに腫《は》れあがってしまう。その極みにいたって、どこかでちぎれて異質な次元に飛躍する。それがコンピューターの開発だったのではないだろうか。そこでは、「0」と「1」との要素だけを組み合わせることによって、複雑怪奇で巨大な情報を単純な形に整序するのである。

東地中海世界における人類史の大転換

かつてシュメール人にはじまるメソポタミア文明があり、ナイルの民が手をそめたエジプト文明があった。それらが前四千年紀末に姿を現し、やがて周辺地域を巻きこみ相互に影響し合いながら、巨大なオリエント文明が築かれた。

文明の誕生から二〇〇〇年を経る前一〇〇〇年前後の数百年の間に、巨大なオリエント文明のなかに膨大な知識や経験が蓄積されていったにちがいない。これらを記録する楔形文字もヒエログリフも文字数が数百・数千にもおよび、それを習得するために訓練された書記階層が生まれた。彼らは知を管理する特権階級であり、それらの知は一般庶民には手の届かないものであった。だが、三〇文字足らずで表現されるアルファベットが開発され普及すれば、どうなるだろうか。

また、神々を信じる古代の人々にとって、人の世も自然の世界も森羅万象《しんらばんしょう》は神々それぞれがあやつるものだった。神々をあがめる人々は、それらの怒りをなだめ恵みを施してもらえるように、犠牲を捧げ祈りを怠ってはならない。数百・数千の神々があれば、そこには数多《あまた》の犠牲や祈りの手続きがあったにちがいない。それらの神々が交わり習合《しゅうごう》して数少ない神々に集約され、やがて唯一神だけに統合されていく。そのようなことになれば、それを信じる人々の生き方には著しい変化がおこるのではないだろうか。それとともに、人間の社会も新しい形をとるようになるのではないだろうか。

さらにまた、寒冷期が終わり、狩猟採集生活から農耕牧畜生活への流れが主となるにつれ、生産物と生産物との交換がしばしば行われる。それらの交換の手続きは多種多様であったであろうが、おそらくそれらの物資が集積され市場のような形が整えられていったのではないだろうか。産物と産物が交換されれば、閉じられた狭い社会では手に入らない物資を確保することができ、生活が少しずつ豊かになる。やがて単純化された価値尺度あるいは交換手段としての貨幣が注目され、これらを介することで物資の交換がますます容易になる。それにともなって、物資の交易のみならず人々や情報の交流が頻繁になり拡大していく。そのようななかで、社会の人間関係のあり方も古来の伝統が崩れ、新しい関係の絆が人々の観念や意識をも変えていったのだ。

このようにして大雑把《おおざっぱ》に歴史の流れをたどっていくと、アルファベット、一神教、貨幣という新しい形が登場する舞台で、人類史の大転換ともよべるような事態がおこっていたことに気づかざるをえない。しかも、その舞台とは東地中海世界という地域であり、さらにまた、前一〇〇〇年前後の数百年間にかぎられた期間であった。

人類の文明は長い年月の間に多様になり複雑になる。そのような多様化・複雑化が進み、その頂点に達した時点で、逆に文明を一様化し単純化するような動きが生じる。なぜそのような事態になるのか、それはおそらく人類が目の前にある世界を理解しようとするからではないだろうか。多様で複雑であればあるほど、それを理解することは難しくなる。意識していたかどうかにかかわらず、人々は世界をわかりやすい形で理解しやすくするのかもしれない。

現実の世界史のなかで、そのような動きが最初に姿を現したのは、前二千年紀後半から前一千年紀前半における東地中海世界であった。現実の世界は複雑きわまりないものであり、そうであればあるほど、せめてそれを単純化した形で理解しようとする。それは人間の認識能力につきまとう宿命であったにちがいない。

古代人の伝承は、古きにさかのぼるほど、神々が身近にいるかのように語られている。神々はたえず人間にささやきかけ、ときには姿を見せることもある。これらの描写について、近現代人からは幻聴や幻視にまどわされた迷妄と片づけられがちであった。だが、本シリーズでは第一巻を「神々のささやく世界」と題したように、このような現象を幻覚や錯覚ととらえず、古代人の心のなかでは迫真ある現実として感知されていたと考えている。こうしたとらえ方は、二〇世紀のフランスで生まれた歴史学、アナール学派の「心性史」に通じるものだ。「心性史」とは、生活する人々の感性や心象のような面にまで掘り下げて歴史を語ることである。

この立場からすれば、アルファベット、一神教、貨幣が登場する時代になると、神々は沈黙しだすかのように感じられる。人間の側からは、神々のささやきが耳に届かなくなっていくことになる。なぜそのような事態にいたるのだろうか。もちろん、それを実証することなどできない。

しかし、数百年という期間に、そのような事例がおこっていること、それらをどのように理解すればよいかという筋道ならたどることができる。価値観の統一や普遍化の流れと、これからみる大帝国の形成には、深いところで関係がありそうだが、その詳細については第四章であらためて論じることにする。ここでは、「神々のささやく」世界から「神々の沈黙」する世界へという大きな移行期があることについて、「心性史」の文脈《コンテクスト》のなかで確認しておくことにしたい。

第二章

強圧の世界帝国アッシリア

イラク、ニネヴェ出土の粘土板文書。大英博物館蔵

1　軍事国家の台頭

敗者の首を枝に吊るして祝杯を

　ロンドンの大英博物館にアッシリア回廊とよばれる一角がある。セム語系のアッシリア人の帝国が出現したとき、ティグリス河中流域の東岸、ニムルドやニネヴェに王宮が築かれた。これら王宮の壁面を飾ったのが石板浮き彫りであり、それらが数多く展示されている。力強さといい、豪華《ごうか》絢爛《けんらん》さといい、造形表現のみごとさには誰もが圧倒される。遠征や戦闘の場面ばかりではなく、王宮の日常生活、儀礼祭祀《さいし》、狩猟などの場面が絵巻物のようにくりひろげられる。西アジアに君臨したアッシリア王は征服地の金銀財宝をもち帰っただけではなかった。美術工芸の技能にすぐれた工人たちを首都に集めたのである。

　それらの浮き彫りのなかに、庭園で開かれた戦勝祝賀の宴を描いた場面がある（左頁）。ナツメヤシと糸杉状の樹木にかこまれ、アッシリア王アッシュルバニパルが后《きさき》とともにくつろいでいる。二人は祝杯をあげ、その背後に侍者たちがひかえている。だが、目をこらせば、これら侍者たちの間にある糸杉の枝に人間の首が吊《つ》るされているのが見える。

　この無惨な姿をさらした首の人物はエラム王テウマンである。エラム国はアッシリアの南東にあり、その全土を統一したのがテウマンであった。とうぜんのごとくエラムはアッシリアを脅《おびや》かす。そこで有能なアッシュルバニパルはエラムに遠征する。両軍の戦況が変化する様はやはり浮き彫りに表

アッシュルバニパル王と后の戦勝の宴を描いた浮き彫り。大英博物館蔵

されている。やがてアッシリア軍はエラム軍を追いつめ、林にかくれる敗走者テウマンとその息子はとらえられてしまう。彼ら二人は撃ち殺され、その首は切りとられたのである。前六五三年の出来事であった。

アッシリア人は残酷か？

アッシリア回廊の浮き彫りをながめると、つぎつぎと戦争をくりかえすアッシリア人の姿が浮かんでくる。そこから、アッシリア人は好戦的で残酷な人々だったという印象が生まれる。たびたび遠征軍をさしむけ、都市という都市、集落という集落をことごとく破壊する。住民を大量虐殺して、物資財貨を略奪して荒らしまわる。生き残った住民があれば、捕虜《ほりょ》としてアッシリアに連行する。捕虜たちは首に縄をつけられ、手を後ろでくくられ、唇《くちびる》に紐《ひも》を通してつながれ、奴隷としてこきつかわれる運命にあった。その哀れな救いのない姿は勝ちほこるアッシリア人の残忍さ、無慈悲を刻みこませるのである。

しかしながら、このようなアッシリア人をめぐる印象はほんとうなのであろうか。しばしば、征服の民はみずからの強者ぶりを謳《うた》いあげ、征服された民の惨《みじ》めさをことさらきわだたせる。荘重な王宮の壁面という壁面は、強者の栄華と弱者の悲惨さを描く光景でうめ尽くされるのである。そこを訪れるたびに拝謁《はいえつ》者はアッシリアに刃むかう者の運命を予感せざるをえないのだ。

このような残酷無比なアッシリアという印象は、啓典の民の聖典（旧約聖書）によってさらに強められている。ここでいう啓典の民とはユダヤ教徒、キリスト教徒、イスラム教徒のこと。とりわけユダヤ人はアッシリアの圧政にさいなまれた経験があるために、ことさらアッシリアを憎悪する。

ユダヤ人は敵に報復する神を讃美し、救済の託宣《たくせん》にあずかることを願う。ニネヴェ陥落を予告する「ナホム書」はその願望が形をなしたものである。

アッシリアの王よ
お前の牧者たちはまどろみ
貴族たちは眠りこける。
お前の兵士たちは山々の上に散らされ
集める者はいない。
お前の傷を和らげるものはなく
打たれた傷は重い。
お前のうわさを聞く者は皆
お前に向かって手をたたく。

お前の悪にだれもが
常に悩まされてきたからだ。（「ナホム書」三・一八―一九）

そもそも前九世紀の「黒色オベリスク」の浮き彫り（五〇頁）から、イスラエル王イエフの屈辱的な姿が目にとまる。国内では覇を唱えるイエフはアッシリア王に朝貢《ちょうこう》し平伏《へいふく》することで自分の地位を保つことができた。この図像のなかで、イエフは自分の従者たちと同様にとがった帽子をかぶり、上着を脱いで、房飾りつきの肌着を着て帯をしめている。

王からして奴隷のごとき屈従を強いられた人々であった。そうであれば、イスラエル人が征服者にいだく恨みもただごとではすまない。まして彼らの多くは住みなれた土地を離れほかの地域に移住することを強いられたのである。その様は旧約聖書のあちらこちらに書き記されている。

前七二二年、イスラエルの首都サマリアがアッシリア軍によって包囲され、陥落《かんらく》した。アッシリア王は「イスラエル人を捕らえてアッシリアに連れて行き、ヘラ、ハボル、ゴザン川、メディアの町々に住ませた」（「列王記」下、一七・六）のである。このような強制移住はつぎつぎにくりかえされていく。

アッシリアの属領地となったサマリアに残された人々も少なくなかった。しかし、そこにも他から移住させられた人々が押しよせるのである。「アッシリアの王はバビロン、クト、アワ、ハマト、セファルワイムの人々を連れて来て、イスラエルの人々に代えてサマリアの住民とした。この人々がサマリアを占拠し、その町々に住むことになった」（「列王記」下、一七・二四）。やがて、これら東方から移住してきた植民者たちとサマリアに住む人々は混血していくことになる。生き残ることはできても故郷を追われた人々がおり、故郷にあっても得体の知れぬ外来者の侵入に脅かされる人々もいた。彼らには恐れおののく不安な日々が果てしなくつづくのである。

このようにしてアッシリアの強制移民がくりかえされるなかで、イスラエル王国の下でひとまずまとまっていた諸部族は離散消滅する運命にあった。圧政者としてのアッシリアの姿が後世の人々に刻まれるのに、旧約聖書の記述は大いにあずかっていたにちがいない。だが、これはユダヤ人の側から見ただけの一方的な告発にすぎないのだろうか。それとも公平に見ても残酷無比なアッシリアという印象は否定できないことなのであろうか。

群雄割拠と騎馬遊牧民に対抗し軍事力強化

アッシリアはもともとティグリス河中流域の西岸にある都市国家アッシュルを拠点としていた。前三千年紀中頃から人々が居住し、交易の中継地として栄えていた。前二千年紀には、バビロニア王国、ミタンニ王国などの圧力をこうむりながらも、栄枯《えいこ》盛衰《せいすい》をくりかえし、かろうじて覇権の命脈を保っていた。

このようななかで、近隣の強国に囲まれていたせいで、軍事力を強化する動きは止められず、軍国主義に傾いていく。それとともに、商業交易の伝統が底流にひそんでおり、交易路を開拓する願望は根強かった。

前一〇〇〇年前後の数世紀、東地中海・オリエント一帯はどのような様子だったのだろうか。バビロニア王国、ヒッタイト王国、ミタンニ王国などの覇権大国はなくなって久しかった。また、「海の民」と総称される難民集団が東地中海沿岸一帯に出没し、少なからざる混乱をもたらしてからも、すでに歳月を経ていた。それとともに、ギリシアのミュケナイ文明も崩壊し、小アジアのトロイア王国、シリアのウガリトなどの都市国家ももはや破壊されていた。

諸民族あるいは諸部族はさまよい、また、そこに侵入する人々もいて混乱につぐ混乱であった。アラム人はシリア、さらにはメソポタミアを侵攻していた。パレスティナには「海の民」の流れをくむペリシテ人が住み着いていた。ヘブライ人の統一国家イスラエルはソロモン王の栄華も過ぎ去り、分裂の危機に瀕していた。ようするに、言語、宗教、慣習を異とする多数の小さな国家がひしめきあい、諸々の都市国家や部族王国が興亡をくりかえしているだけだった。

それに加えて、前一千年紀になると、メソポタミア北方には騎馬遊牧民の動きが目立つようになる。遊牧民は、家畜をあつかい、それを生活の基盤にする人々である。そのなかでも馬を活用する遊牧民を騎馬遊牧民とよぶ。これら騎馬遊牧民のなかでも最初に歴史の舞台に登場するのがキンメリア人という印欧語系の人々であった。

キンメリア人はメソポタミア北方で猛威をふるい、定住民の集落に脅威をあたえたという。その実態については断片的な二次史料しかないので曖昧模糊《あいまいもこ》としてとらえどころがない。それでも、同じ騎馬遊牧民であるスキタイ人と密接な関わりがあるらしい。自由自在に馬に乗り、神出鬼没《しんしゅつきぼつ》ですばやく行動するので、農耕定住民にははかりしれない恐れを感じさせた。

このような混乱と停滞の時代に先立っていたが、前一一世紀初め、アッシリアは新都ニネヴェを建設して国力をとり戻すことに努めた。しかしながら、アラム人の流入はいかんともしがたく、また、数回にわたる大飢饉がメソポタミアを襲ったこともあり、それらに抗することはできなかった。

前一千年紀初頭、東地中海からオリエントにかけての世界はめまぐるしく動いていた。さまざまな勢力が群雄割拠し、さらには不気味な騎馬遊牧民の脅威にさらされたのだ。そこからアッシリアが国力をたくわえ、大きな勢力として成長するのである。

馬を育て騎馬軍団を強化

世界史を広く見わたせば、永い混乱期を経るなかで、しばしば大きな覇権が生まれている。東アジアにおいては、諸勢力が張り合い対立する春秋戦国の五百年をくぐるなかで、秦帝国が生まれ、やがて漢帝国が成立した。そのような混乱期は、東地中海からオリエントにかけての一帯では、五百年ほど先立っていた。

ある勢力が急成長をなしとげるには、その背後になんらかの技術革新がひそんでいる。アッシリアの場合、騎馬遊牧民とふれあう位置にあったことは心にとめておくべきだろう。だからといって、アッシリアが神出鬼没の騎馬遊牧民にやられっぱなしだったわけではない。騎馬遊牧民の脅威にさらされればさらされるほど、アッシリア人も馬と騎乗についての知識と経験を得ていったにちがいない。

もともとアッシリアは、高山や大河など自然による境界がなく、豊かな土壌にも恵まれていた。このために、周辺に住む人々にも侵入しやすく移住したい地域であった。このような外来者の侵攻にくりかえし直面していた。忍び寄る外敵との戦闘を重ねながら、アッシリア人は実戦力をみがきあげていく。これらの外敵のなかに、ときおり出没の定かでない騎馬遊牧民が姿をあらわすのだった。アッシリアはオリエントのなかでもかなり北に位置していたので、北方にいた騎馬遊牧民と一足早く接触していたのだ。

ヘブライ人の住む地域はアッシリアより南にあったので、騎馬遊牧民とふれあう機会は少なかったはずである。それにもかかわらず、前一〇世紀に繁栄をきわめたソロモン王は「戦車用の馬の厩舎《きゅうしゃ》四万と騎兵一万二千を持っていた」(「列王記」上、四・二六)と伝えられている。伝承が事実ならソロモン王は史上最大の馬主になるのだから、この数字はかなり誇張されたものだろう。だが、メギドの要塞遺跡には厩舎跡が残されている。そこからヘブライ人の王国でさえかなりの馬を所有していたことがわかる。まして北にあるアッシリアはもっと大規模な形で馬と騎乗術をとりいれたはずだ。

イスラエルのメギド遺跡に残る厩舎跡。松川裕撮影

じっさい、楔形文字《くさびがた》の粘土板文書のなかには、野生ロバや馬について、また戦車について、さらには馬の飼育や調教方法について、言及している記録もある。そのなかでも注目されるのは、戦争の軍備を示す文書があるのだ。そこには、前九世紀の北ウラルトゥの戦いで、戦車一〇六両、騎兵九三七四騎、歩兵二万人がいたことが記録されている。アッシリアの北方にあるウラルトゥ国との戦いは、その東南に位置するマンナイ国をめぐるものであり、そこは馬産の

アッシリアの浮き彫りに描かれたたくましい馬。大英博物館蔵

盛んな地域であった。

アッシリア帝国の初期において一万人近い騎兵がいたことからも、戦力として騎馬軍団がどれほど重視されていたかがわかる。彼らは騎馬の風習にふれるなかで、いち早く騎馬戦術を軍事力として組織することができたのである。戦争や狩猟を描いた浮き彫りからも、騎乗者が自力で弓を射るようになっていく様がうかがわれる。このようにして、騎乗術とともに弓術にも習熟していったにちがいない。

それとともに、アッシリアの馬は筋肉がもりあがり、体軀《たいく》が大きくて重厚であることに驚かされる。とりわけ頭をまっすぐ伸ばして走っているのが目につく。別種の馬の血がまじったのかもしれないし、飼料が改良され育成の技術が向上したのかもしれない。騎馬軍団をより優れたものにするには、それを支える馬を育成し調教しなければならないのだ。このようにして軍事力が増強されれば、それは近隣諸国との戦いのなかで新しい脅威として大きな成果をおさめることになる。

アッシュル神をあがめる軍国主義国家

「創世記」によれば、箱舟《はこぶね》を出たノアには、セム、ハム、ヤフェトという三人の息子がいた。そのセムの五人目の息子がアラムだったという。このようにしてセムの子孫である諸氏族、諸民族が地上に分かれ出た、と語られている。今日にあっても、セム語系の人々がオリエント一帯に拡散して住んでいるが、そのことを象徴する伝承物語である。

前一〇世紀までに、アラム人の勢力はユーフラテス中流域から、アッシリア、さらにはバビロニアにまで進出し、これらの地に住み着いていた。先住するアッシリア人の側からすれば、アラム人の侵攻に脅かされ、自分たちの支配領域の大半が失われていたのだ。

そのために、その世紀末にアッシリアが台頭してきたとき、その勢いは国土回復運動として始まったかのようだった。もっとも、長きにわたって、周辺諸勢力の脅威にさらされてきたことから、軍事力の備えと訓練を怠らなかったことは幸いだった。その基礎となる力に支えられて、軍事遠征がくりかえされるのだった。

ところで、アッシリアの軍国主義は、国土の防衛と回復だけを目的としていたのだろうか。少なくとも近隣の勢力に脅かされているころは、そうだったかもしれない。だが、停滞と混沌《こんとん》から抜け出すにつれて、アッシリアの軍国主義は攻撃性を強めていく。その背景には、アッシリアの最高神アッシュルそのものがこの地を神格化したものであるという意識がひそんでいる。都市アッシュルは神アッシュルにほかならず、それは防御されるだけではなく、その威力をより強大なものにしなければならないのだ。

ほどなく征服地が拡大し、集落も再建され、多数のアッシリア人が入植していった。その後も国内にあって大きな崩れもなく、さらに軍事遠征がたび重なり、大国としての覇権をちらつかせることになる。

アッシリア人の社会に目を向ければ、その成り立ちからして軍国主義の色合いのある社会であった。なによりも、軍隊が社会の基軸となる階層構造をなしているのだ。配下の臣民のすべてが軍事奉仕を余儀なくされており、軍人ではない国家官吏も軍務をおびていたという。王たる者はこの階層構造の頂点にあり、神アッシュルと国家の繁栄のために戦争を遂行しなければならない。そこには人間としての王は戦場で軍隊を率いるべきだという確固たる信念があったという。人々の思い描くところでは、王はすべての軍事活動を率いるのである。だから、王の治世はいずれの年も戦争によって確認されるのだ。

たしかに軍事活動は不断に行われていたし、毎年毎年、主要な軍事活動は王が率先して指揮するかのように語られている。そういう物語は作り事にすぎないにしても、人々はそう思いたがっていたのだろう。

だから、王が戦死して遺体も見つからなかったことにでもなれば、人々のとまどいは途方もなかっただろう。じっさい、アッシリア帝国を確立したサルゴン二世は遠征中に戦死している。そのとき、彼の遺体はとり戻されず、ふさわしい葬儀もなかったという。この出来事は王の息子にはトラウマのごとく心に焼きついて残ったらしい。息子はそれを神々の罰として受けとめるしかなかったのだ。

戦争は休むことなく遂行されねばならず、しかも勝利しなければならない。それは軍国主義国家の逃れがたい宿命であり、決着のつかない戦いでも敗北は認められないことだった。王の戦死は敗北も同然だったのだろう。

戦車を駆使し巧みな攻城で支配拡大

国王の指揮下に、巨大なピラミッド型の官吏階層ができあがり、あらゆる国務がとり扱われるのだった。最高級の官吏は帝国内の属州総督として任務をはたす。なかでも最高司令官となるのは戦略上重要な北シリアの属州総督であった。当初のところ、これらの司令官はアッシリアの名門家系出の人物であり、後には国王が宦官《かんがん》を補佐役として代行するようになった。宦官であれば子孫がおらず、新たに王朝を企むことなどなかったのだ。ある玉座の台のレリーフには、アッシリア王とバビロニア王が握手している場面があるが、双方ともそれぞれの宦官を伴っている（ニムルド出土の玉座の台、イラク国立博物館蔵）。

軍事活動は初めのころは夏季だけにかぎられていた。収穫の農作業が終われば農民が動員できたからである。歩兵は山道も自由に往来できたし、川を渡るのも不自由しなかった。歩兵たちは空気を入れてふくらました袋にまたがって進んだという。

後になると、新たに常備軍が編制され、どの季節でも活動できるようになった。アッシリア人は好戦的であり、それまでの軍事知識を更新することに熱心だったという。軍隊の中核をなすのは陸軍部隊であり、兵士は体格に恵まれ、訓練も行き届いていた。歩兵は弓、槍、投石器で武装し、剣は肩から吊《つ》るす。大きい丸楯《まるたて》で身を守り、膝まで隠すマントを着ていた。

貴族たちは騎兵部隊を編制し、裸馬にまたがって、弓をもち、小さい丸楯で防備した。横には、やはり騎乗した召し使いを連れており、これらの者は矢を渡す役目であった。

戦車は上手に操れば、強力な武器になる。御者《ぎょしゃ》と射手《しゃしゅ》と楯兵《たてへい》の三人一組で乗る。楯兵はきわめて大きな楯でほかの二人の身を守った。どのような戦術だったかは不明だが、おそらく素早い機動力と激烈な攻撃は、それを目にする敵兵には大きな衝撃だったにちがいない。

戦争となれば、都市を攻囲するのはお決まりの手段だった。そのための資材を集め、工兵たちはてきぱきと作業する。その働きぶりは目をみはるほどすぐれていたという。土地を盛り上げ、敵の城壁の防衛線に迫れば、敵兵たちは追い出されるように逃げ出すのだった。車のついた台の上から弓兵たちが堡塁《ほうるい》を崩し、それとともに破城用のハンマーで城壁に裂け目がつくられ、ほどなく梯子《はしご》が城壁にとりつけられ、敵陣になだれこむのだ。

アッシリアの周辺には、まずシリア全土に広がったアラム人の諸部族がいた。その流れをくむカルデア人の諸勢力はメソポタミア南部の領土を分割していた。アッシリアの北西には、諸都市を中心とする新ヒッタイト人が勢力を伸ばし、アラム人の諸勢力と抗争をくりかえしていた。北方の山岳地域にはウラルトゥ人、北東にはイラン系のメディア人、南東には独自な古来の伝統をもつエラム人などが勢力をはり、たえずアッシリアに対抗していた。

このような情勢のなかで、アッシリアは徐々に勢力を増し、周辺諸国を征服しはじめる。それは前一〇世紀後半になってからである。このころアッシリアの国力は著しく復興した。アラム人によって奪われた領地をとり戻し、遠征をくりかえして、周辺地域を広範にわたって支配下におさめている。ときにはアラム人などによって領地を奪い返されることもあった。それでもアッシリアはひるむこ

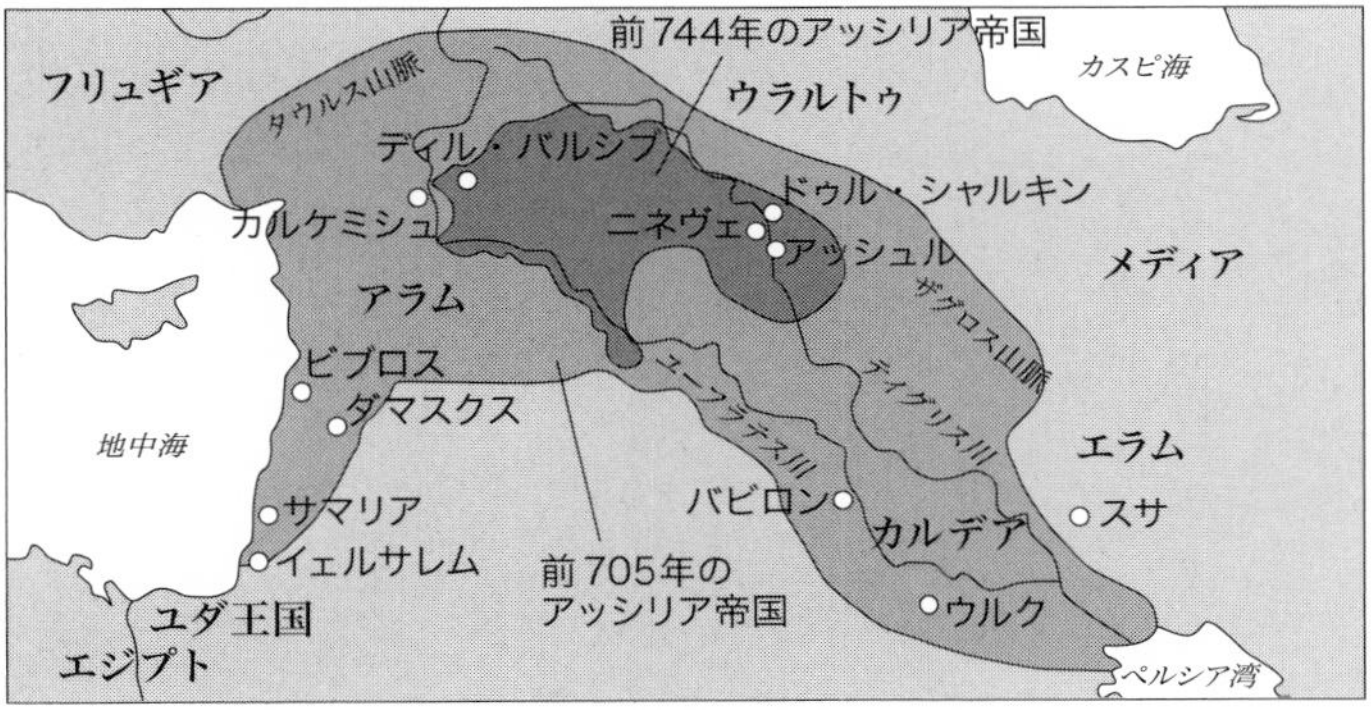

アッシリアの拡大。本村凌二・高山博『地中海世界の歴史』放送大学教育振興会、2009年をもとに作成

となく遠征をつづける。征服すれば、そこは領土になる。領民の反乱を防止するために、しばしば住民は遠方に移住するように強いられた。なによりも民族の結束力を弱めるのが狙いだった。ある民族が強制移住させられると、跡地にはほかの民族やアッシリア人が入植する。

さらにまた、帝国の首都を整備したり、新都が創設されたりする場合には、各地からさまざまな民族が移住させられることになる。とりわけ、専門技術を身につけた人々はなにかと重宝されたという。建築士、工芸職人、楽師、医者、通訳などがおり、アッシリア国内でも厚遇された。

それでも、現存する宮殿の浮き彫りが物語るように、アッシリア軍の征服活動には、どこか残忍で血生ぐさい印象がただよっている。敵陣の町は破壊されて灰燼《かいじん》に帰したばかりか、敵将たちは串刺しにされたり、生皮剝《なまかわは》ぎされたりして処刑された。生首が酒宴の席で樹木に吊るされている場面もある。これらの残虐きわまりないアッシリア軍の進撃は想像を絶する恐怖をまき散らしたという。

れればならなかったのだ。

惨めに跪くイスラエル王

アッシリア人の数は領土全体からすれば少数であったから、軍事力で圧倒し、経済力を確保しなければならなかったのだ。

強勢を誇るアッシリア人にとって、もっとも征服に手を焼いたのはウラルトゥ人であったらしい。東アナトリア高地にフリ系諸部族が連合し王国を築いた勢力であり、ウラルトゥ王国は前九世紀から山岳地の盆地を連結する路線に沿って要塞都市を建設した。それとともに、行政機構や軍事組織を急速に整備し、国土を拡大している。やがて、アッシリア領土を北からつつみ込むような形で勢力を伸ばし、アッシリア人の覇権の最大のライバルとなった。前八世紀後半がウラルトゥ王国の最盛期であったという。

アラム人もまたアッシリアの強敵であった。とくに、ダマスクスを拠点とする王朝は幾度も征服されながら、すぐに復興するほどだった。アッシリアから山を隔てて東南にあるエラム人も武力で征服しがたい勢力であった。

これらに比べて、シリア・パレスティナは地つづきであったせいで、征服しやすかったという。それでも、アラム人、ヘブライ人、フェニキア人、ペリシテ人などがしばしば反乱をおこしている。これらの反乱は徹底的に鎮圧され、厳しい貢納を課されたのだった。

このころのアッシリア人の勢威を物語るものに、前九世紀後半の「黒色オベリスク」が名高い。四《し》角錐《かくすい》の黒色石碑に、見慣れない服装をした遠方の人々が高価な物品や珍しい動物をアッシリア王に献上する様子が浮き彫りされている。四角錐の石碑の四面には、ヒッタイト、イスラエル、エジプトなどの五つの国から貢物《みつぎもの》が運ばれてくる場面が描かれている。それぞれが五段になっており、そこでは計二〇の場面をなしている。

　とりわけ、本書五〇ページに掲載した上から二段目の浮き彫りの一つには、アッシリア王の前でぬかずくイスラエル王イエフの姿が印象深い。そこには「余はオリムの息子イエフの貢物として、銀、金、金の皿、金杯、金の盃、金と錫《すず》の手桶、王が手にする笏《しゃく》、棍棒《こんぼう》を受け取った」と告示されている。強勢を誇る大王の前で跪《ひざまず》く小王の惨めな姿は痛々しいものがある。イエフはイスラエル人像として知られる最古のものであるが、イスラエル側の文献がこの屈辱の貢納について黙して語らないのは不思議ではない。

　戦争における兵士の数というと、しばしば誇張されがちである。アッシリアの敵陣の兵士は死者数一〇万人を下らないというから、軍隊全体ではその数倍もの兵士がいたことになる。数十万人になるから、いささか膨大すぎる。前九世紀半ばの戦争の記録で、敵陣にはほぼ五万人がおり、アッシリア軍もほぼ同等数の兵士がいたのだろう。

　いずれにしろ、軍務に就《つ》きうる人々であれば、その数をはるかに超えるものであった。首都周辺だけでは兵員数をまかないき

黒色オベリスク。大英博物館蔵。

れず、服属民も参戦を強いられたにちがいない。たとえば、イスラエルのサマリアが征服されたとき、その地の戦車軍団もすぐにアッシリア軍に編入されたという。

アッシリアは海軍をもっていなかったので、地中海を舞台とした海戦では、征服したフェニキア人の艦隊や兵士がかりだされたという。亡命者や脱走者もまた動かしやすい軍隊に編入させ、帝国近辺の防備にあたらせている。このような軍隊編制であったので、軍隊はさまざまな地域の出身であり、さまざまな言語を話す人々によって構成されていた。そうであれば、かなり強力な統率力が求められたにちがいない。

神の代行者から聖戦の統率者へ

しかしながら、前九世紀末には、アッシリアの内政はかなり混乱していたらしい。帝国の覇権が弱まり、管理統制が緩んだので、地方支配も充分ではなく、属領からの貢納も滞《とどこお》りがちになった。

さらにまた、このころから、高位にある官僚、とくに属州行政を任された代官たちが強い権力をもち、まるで独立国の王であるかのようにふるまうようになった。そのせいか、この前後の時期に、代官の銘文付きの印章が目立って多いという。これらの代官の多くは宦官であり、彼らが要職に就くようになったのだろう。

ところで、このころ広い範囲で信仰を集めたのがナブ神であった。各地に立派な神殿が建てられ、バビロニアの主神マルドゥクの「長子」ともよばれるようになったという。あるアッシリア王の語るところでは「今後は誰であれ、ナブを信奉せよ。決してほかの神に頼るな」と記す一文がある。この表現は、ほかの神々を否定するかのように見えるが、ここには一神教へのめばえがあると思うべきだろうか。おそらく頼りがいのある救済者としてナブ神を強調しただけではないだろうか。アッシリアのほかの神々が疎《うと》んじられたわけではなかったが、なによりも国家神アッシュルの祭儀が盛んに行われていたのだ。

そもそもアッシリア王は「アッシュル神の代行者」であり、王権はあくまで宗教上の制度であり、政治権力とは切り離されていた。だが、軍国主義国家アッシリアが戦争を最重要課題にするにつれ、王は聖戦の統率者としてしだいに軍事的・政治的な役割をも兼ねるようになった。

王権そのものが変質していくのであり、それを正当化する試みとして、伝統あるバビロニアの国家観念が採り入れられたという。都市国家共同体の神格化であるよりも領域国家の主権となる神が重んじられるようになった。由緒ある世界支配者としてのバビロニアの称号にちなんで、「世界の王」「四界王」「大王」などと名のるようになった。それとともに、王宮もアッシュル市を離れるようになり、前九世紀半ばまでには、ティグリス河の東岸に首都カルフ（現ニムルド）が建設された。

カルフのニムルド宮殿。A・H・レヤードの想像復元による。1853年

2　最初の「世界帝国」へ

遠征と強制移住で覇権を拡大

前八世紀前半、アッシリアでは地方分権がまかり通り、覇権国家としては弱々しくなったらしい。しかしながら、同世紀半ばになると、国力を回復していくかのようだった。ほどなく、アッシリアは「帝国」とよばれるほどの覇権をにぎる。「帝国」とは、自立しようとする諸地域勢力に対抗して一大勢力としてそれらを抑えつけ丸めこむ巨大国家を意味する。さらに、その規模が大きくなり、複数の文明地帯を包みこんで多様な人種・民族をふくむとき「世界帝国」とよぶことにしよう。

とりわけ、ティグラト・ピレセル三世（在位　前七四四〜前七二七年）の出現はアッシリア帝国の名を鮮やかにするものだった。同王の碑文のなかには、慣行に反して父親の名が記されていない。名だたる父親ではなかったためだろうか、おそらく王位簒奪《さんだつ》者であったと見なされている。

ティグラト・ピレセル三世は四方八方に遠征し、なによりもアッシリアの領土拡大に熱意を燃やした。北方のウラルトゥを制圧し、西方のシリア・パレスティナ地方にも侵攻する。その侵略の脅威に対抗するために、この地域の諸国家は反アッシリア同盟を結んでいる。だが、同盟に加わらない勢力もあり、足並みがそろわなかったせいか、同盟軍はアッシリア軍に敗退した。アッシリアはほぼエジプト国境付近まで覇権をのばし、ダマスクス、サマリアなどからも貢納させた。

さらには、ティグラト・ピレセル三世はアラビア半島とシナイ半島に住むアラブ人の諸部族にも覇をとなえ、そこにも貢納するように迫ったという。

それに加えて、バビロニア南部のカルデア人を勢力下におさめ、アッシリア王であるとともに由緒《ゆいしょ》あるバビロニア王ともなった。興味深いことに、バビロニア王名表では、彼の名は「プル」とだけ記されている。これは名を短縮した蔑称《べっしょう》であり、アッシリア支配を快く思わないバビロニア人の不平不満が浮き出たものだろう。

さらにまた、征服した領土の各地にあって、とりわけシリアにおいて強制移住政策をおし進め、大規模な住民の入れ替えを断行した。このようにして、アッシリア支配の強圧はますます民衆の反感をかっていた。いずれの民でも住み慣れた土地がいいのであり、力ずくでなじみのない他所に住まわされるとなると、人々はとまどい、憎悪がつのるばかりだった。

支配者の側からすれば、まずもって人力の問題があった。アッシリア帝国ではなにはともあれ農業労働力が必要であり、軍隊で働くアッシリア人に代わって、建築などの大事業のための工作労働力も求められた。とくに王宮のある大都市が創設されたならば、その周辺には多数の人々が住むことになるのだ。

ティグラト・ピレセル３世。大英博物館蔵

見知らぬ外地で帝国の保護に頼る

古代の西アジア史を通じて、勝利した軍隊が被征服民を移住させることはときにはあったという。これは破壊してしまうよりは有益であった。アッシリアは、とりわけ前八世紀半ば以降、強制移住政策を大々的に実施するようになった。戦場からの捕虜や被征服民はアッシリア本国の荒廃地《こうはいち》を開拓すべく使役されたのだ。なによりも王室の財政を安定させるためだった。

ある王宮碑文のなかには、これら移住民の数を暗示する文面もあるという。それによれば、アッシリア帝国の三世紀の間に、四五〇万人が強制移住させられたらしい。男も女も子供も帝国領のある地方からほかの地方に移住を強いられたのだ。

これらの移住にもいくつかの段階があった。まずは、専門技術をもつ職人が選ばれ、建築事業を支えることになる。だが、ある地域が反抗する気運が高ければ、大多数の住民が移住させられる。これには戦略上の利点があり、辺境地域での対立が抑えられるのだ。反逆心のある住民が見知らぬ外地に移住させられれば、先住民の敵意にさらされることになり、帝国勢力の保護に頼らざるをえなくなるからだ。

さらに、その地方の事情になじみがなかったので、移住民が逃亡する危険はきわめて低かった。このように住み慣れた故地から引き離されることの悲痛さがわかれば、強制移住の脅威をちらつかせるだけで、抵抗する住民をおとなしく服属させる手段にもなったらしい。とりわけ、遠征にあって敵地に近づきつつあるときには、この脅《おど》しは有効であったという。

これらの強制移住がくりかえし行われたために、さまざまな人々が混ざり合うようになったという。とりわけ、アラム系の諸族が中東の各地に拡散したことで、アラム語とアルファベット表記が広がったことは注目される。

上記のごとく五百万人近い人々が移住と混融をかさねたとすれば、そこでは人口動態の大きな変化があったにちがいない。途方もない長距離をひたすら徒歩で、ときには鎖につながれて、移動するのだ。数ヵ月の間、それらの動きを監視したり、食糧をほどこしたりしなければならない。ときには病人もあったりするから、アッシリア人の官吏たちも並々ならない労力を注がなければならなかったはずだ。

ところで、ティグラト・ピレセル三世は強引な手段に訴えていたばかりではない。大規模な住民の入れ替えがあったにしても、新しい行政州を設けて、帝国行政の組織化をはかることも忘れなかった。一〇〇を超える行政州が設けられ細分化されたために、地方の権限は弱まっている。そこから、租税、貢物、労役などを効率よく集積し、中央集権の国力を充実していくための基盤が整えられたのである。この王の出現とともに、新アッシリア帝国が最盛期の幕開けをむかえたと言われる。

みずから設計した新都を築いたサルゴン二世

この英王の死後、息子が王位を継いだが、短い治世だった。その後、サルゴン二世が王位につく。自分の碑文のなかで父親の名をあげていないせいで、かつては王位簒奪者と見なされていた。だが、正規の王位継承者でなかったにしても、ティグラト・ピラセル三世の実子であったとも考えられている。

ところで、古来の首都であるアッシュルはもはや小さくなりすぎていた。前九世紀前半にはカルフ(現ニムルド)に首都が建設され、すでに一五〇年が経っていた。その地での建設事業もつづいていたが、在位五年目、サルゴン二世は手つかずの処女地を探し、新しい首都の創設を決意する。

その都の名はドゥル・シャルキン(サルゴンの砦)とよばれ、七つの城門をもつ周辺七キロメート

ドゥル・シャルキンで発見されたサルゴン２世を描いた浮き彫り。ルーヴル美術館蔵

ルの城壁で囲まれていた。新都の創設を祝賀する碑文のなかで、王みずから着想し、設計にたずさわり、作業を監督したことを誇らし気に語っている。王が事業に深く関わっていたことは、数多く残った公務書簡からも明らかであるという。とりわけ大規模な宮殿建設には莫大な資金を集めなければならず、金融業者からも融資を受けていたようである。それらのなかには「建設事業が終わるまでは誰も汝《なんじ》の借入金を返済しないであろう」との宣言を伝えていた書簡もある。サルゴン二世がこれらの負債をどこまで清算したかは不明なままである。

アッシリア帝国にとっても、次々とおこる周辺諸国との紛争・交渉はなによりも急務を要することであり、サルゴン二世も東奔西走《とうほんせいそう》せざるをえなかった。王位につくやいなや、サマリアなどで反乱が勃発《ぼっぱつ》したが、迅速に鎮圧された。バビロニアの内紛は長くアッシリアを悩ませていたし、古くから強国だったエラムはバビロニアの反アッシリア勢力を陰に陽に支援していた。シリアでも反アッシリア同盟が結成され、圧政者への敵意がむきだしになった。また、イスラエル王国も勢いづくアッシリアの軍事覇権に敵意をかくさなかった。さらに、その南方にある大国エジプトもますます警戒心を強めていた。

幾度も遠征をくりかえしながら、サルゴン二世はこれらの諸勢力の撃退に成功している。やがて、制圧した地域を併合し、シリア全土とパレスティナ北部をことごとくアッシリアの領土とした。また、反乱したペリシテ人の勢力を屈服させて、エジプトとの緩衝帯《かんしょうたい》を設け、その地域への影響力を強めるのだった。さらには、晩年の数年間はメソポタミアの中核をなすバビロニアに留まって、アッシリアの王権をくまなく知らしめることにも腐心《ふしん》した。それとともに、強制移住策によって住民を懐柔《かいじゅう》しつづけるのだった。

毎年のごとく遠征をくりかえすサルゴン二世にとって、最大の関心は北方にあったという。ザグロス山脈東に住む諸部族と条約を結んでいたことから、北東にあるウラルトゥ王国が介入すると、それらの諸部族の援護のためにアッシリア軍を派遣する。

最盛期を迎えるも遠征中に戦死

このウラルトゥへの侵攻の模様は、第八回遠征の記録として手紙の形式で残されている。

……私は、私の王権の都市カルフに出立し、上ザブ河を渡った。……アッシュル、シャマシュ、ナブ、そしてマルドゥクの大いなる支援によって、山地の国への三回目の遠征をした。……（中略）……ウラルトゥ人ルサ……戦いによって彼を敗北させ、その罪を罰せられんことを（祈ると）、我が主アッシュルは私の言葉を聞いて喜ばれた。……休むことなく遠い道程をやってきたアッシュルの軍隊は消耗《しょうもう》し、疲労していた。険しい上り坂と下り坂のある無数の山々を越え続けたため、彼らは顔付きまで変わっていた。私は彼らを眠らせることができず、渇《かわ》きを癒《いや》す水を与えることもできなかった。陣営を設けることも要塞を構えることもできなかった。私は兵士たちに命令することはできなかった。……（中略）……私は自分の戦車と……シン・アフ・ウツル（サルゴン二世の弟）の連隊とともに怒り狂った矢のようにルサの（陣営）に飛びこんで彼を撃退した。彼の軍隊に激しい殺伐《さつばつ》をもって襲いかかり、彼の戦士たちの屍《しかばね》を散らばらせた。（日本オリエント学会監修『メソポタミアの世界　必携』）

手を差しのべる神々を讃《たた》えながらも、行軍のすさまじいばかりの艱難辛苦《かんなんしんく》は遠征の現実に迫真するものがある。このような激烈な戦いの末にもぎとった勝利であれば、サルゴン二世は「神々への手紙」という形式の格調高い文体で王碑文に記したのである。

また、この遠征の対ウラルトゥ戦のときに、皇太子センナケリブは情報の収集とその確認にたずさわっていたらしい。父サルゴン二世宛の手紙が幾通も残っており、それらのなかで、皇太子は確かな情報とおぼしきものだけを父王に伝えているという。

このような数多くの手紙から、サルゴン二世が国家運営に並々ならぬ関心をもっていたことがわかる。それとともに、アッシリアのような軍国主義に彩られた国家では、王はすべての軍事活動を率いると人々は思い描いていた。サルゴン二世は軍事遠征をくりかえしながら、侵攻と征服を重ねたのだから、著しい領土拡大の完成者であった。

ある王碑文から、帝国の支配領域は、メソポタミア全域、シリア・パレスティナをふくむ東地中海世界、ザグロスとクルディスタンの山岳地、ペルシア湾岸におよんでいる。まさしくアッシリア帝国最盛期の土台を築いた人物であったのだ。

しかしながら、このような英名高きサルゴン二世だが、アナトリア遠征中に戦死してしまった。しかも、その遺体はとり戻されず、ふさわしい葬儀もなかったという。人々のとまどいは途方もなかっただろう。この出来事は皇太子センナケリブには深い傷跡のごとく心に焼きついて残ったらしい。後継者の立場から、父王の不名誉な戦死を神々の罰として判断せざるをえなかったという。

バビロニアを制圧しイェルサレムを包囲

父サルゴン二世の非業の死後、王位を継いだのは息子のセンナケリブである。この呼び名は旧約聖書のギリシア語の表記によるが、原語のアッカド語ではシン・アヘ・エリバであり、「月神シンが兄弟たちの代わりに与えてくれた」という意味らしい。そこには複数の兄が幼くして死亡した後に生まれた待望の嫡男《ちゃくなん》であったことが暗示されている。

父王の急死は、帝国各地の服属していた民にとっては絶好の反乱の機会である。これらの反乱を鎮《ちん》圧《あっ》することがなによりも帝国を率いる王としてセンナケリブがなすべきことであった。まずもって最も重要な地域であるバビロニアの混乱をおさめなければならない。最初の遠征について、王みずからが語る碑文として記録されている。

……バビロニア王メロダク・バラダンをエラム人の援軍もろともキシュの平原で撃ち破った。

バビロニア王メロダク・バラダン

彼はその戦いが激しさを極めたとき、自らの陣営を去り、ひとりで逃走して身の安全を得た。彼が戦いの騒乱のなかに置き去りにした戦車、馬、荷車とラバは、私の手によって没収した。バビロンの中心にある彼の宮殿のなかへ、私は意気《いき》揚々《ようよう》と足を踏み入れ、その財宝庫を開いた。私は金、銀、金製と銀製の用具、高価な宝石など、無数の財産、莫大な重量の財宝のすべて、さらに宮廷女官、宮廷官吏、付き人、楽師、すべての職人と宮廷に仕えていた者たちを連行し、奪い取った財産のなかに数え入れた。我が主であるアッシュルの御力によって、私はバビロニアの七五の堅固《けんご》な要塞《ようさい》都市に加えて、それらの周辺に位置する四二〇の小都市を包囲して陥落させ、戦利品を没収した。ウルク、ニップル、クタ、シッパルに住む反逆したアラブ人、アラム人、バビロニア人を、それらの住民とともに連行し、略奪した財産のなかに数え入れた。（上掲書）

このバビロニア王メロダク・バラダンは陣営を捨て去ってしまった。その国土はセンナケリブの軍隊が制圧し蹂躙《じゅうりん》したので、その情景が克明《こくめい》に描かれている。勝利者とはかくも意気揚々となるものかと感心させられる。

センナケリブは父サルゴン二世よりも出陣に熱意をもっていたらしい。西方に目を向けると、地中海沿岸に沿ってシリア・パレスティナ地方にもアッシリア軍団が差し向けられる。シドンなどの諸都市がアッシリア帝国の強圧な軛《くびき》から逃れようとして反逆していたからである。センナケリブは軍隊を率いて遠征したが、その模様も年代記で語られている。

第三の遠征において、私はハッティ（＝シリア・パレスティナ）の地に行った。……そして私の軛に服さなかったユダのヒゼキヤに対しては、彼の城壁のある要塞の町四六とその周辺の数限りない小さな町々を、塁壁を踏み固め、破城槌を近づけ、歩兵隊の攻撃を行い、トンネルを掘り、城壁に破れを作り、攻城機（?）を用いて包囲、征服した。二〇万一五〇の人々――老いも若きも、男も女も――、数限りない馬、ラバ、ロバ、ラクダ、牛、羊をそれら〔の町々〕から引き出して戦利品として数えた。彼自身については、籠の鳥のように彼の王都エルサレムに閉じ込めた。……（歴史学研究会編『世界史史料1』山田重郎訳）

この遠征は前七〇一年の出来事であり、イェルサレム包囲は旧約聖書にも記されている。この包囲の後、ヒゼキア王はアッシリアに多大な貢物を支払って、服従したという。また、ヒゼキア王は、この反乱に先駆けて水の確保のために、イェルサレム市城内に水路を引いた跡が碑文とともに残っている。この王の治世に預言者イザヤが活動していたという。

アッシリア王、センナケリブの戦闘。ルーヴル美術館蔵

バビロンを壊滅させニネヴェに遷都

　ところで、再び東方に目を向けると、バビロンを逃げ出していたメロダク・バラダンはエラム王と結んでアッシリアに対抗して勢力の挽回をはかった。センナケリブの軍隊が追撃すると、かつてのバビロニア王はやがて故国を追われ、エラムに逃れたが、ついにはその地で死亡したらしい。彼の子孫たちも反アッシリア運動を率いたのだから、バビロニア問題はアッシリア人にとって気がぬけないほど厄介であった。

　このバビロニアの泥沼のような混迷に決着をつけるべく、センナケリブは戦力を増強して反撃に出た。やがて、アッシリアの軍隊はエラムとバビロニアの軍隊を敗退させる。だが、それだけではすまなかった。さんざんに悩まされていたセンナケリブにとって、もはやバビロニアはその存続すら認めがたいものに思えたにちがいない。

　彼はバビロンを征服したばかりではなく、古来の伝統にあふれる王都を徹底的に破壊し壊滅にいたらせた。それにとどまらず、古くからメソポタミア神学の最高神として崇められていたマルドゥクの神像をアッシリアに持ち去ってしまう。

　この激烈をきわめた壊滅戦略には、国政や軍事にかぎらず、思想や宗教の深みにさかのぼる問題もひそんでいた。センナケリブは飽《あ》くことなく大規模な遠征をくりかえしながら、数々の建築や灌漑《かんがい》などの大事業も行っている。とりわけ注目されるのは、父サルゴン二世の新都造営事業を未完のまま放置し、それに代わるものとして古都ニネヴェの再建に着手したことである。

ニネヴェは古くから町の形をなし、とだえることなく住民がいた。すでに前一三世紀頃から高台の一つに王宮が建てられており、麓《ふもと》には北方に向かって下町が広がっていたという。時を経て、そこが大規模に拡張されたのはセンナケリブの治世であった。高台には豪華な王宮が建てられ、王室兵器庫も設けられ、町の周囲には一五の城門のある二重の防壁をめぐらせ、全長一二キロにおよんでいた。町の北西部には、あらたに手工業地区と豊かな居住区域が開発されたという。このようにして前八世紀末、遷都がなされ、これ以後、ニネヴェはアッシリア帝国の首都として後継者に引き継がれていく。

ニネヴェに復元されたアダド門。1990年撮影。2016年にISに破壊された。©Fredarch CC BY-SA 3.0

世界帝国の祖型

アッシリア帝国は、征服地を直接統治の属州とし、服属した土地を貢物の納入を義務づけられた属国とした。この統治法はのちのペルシア帝国やローマ帝国でも用いられている。いわば世界帝国というものの祖型としてモデルをなしたのである。

アッシリアの王宮には官僚機構があり、官職名だけでも二〇〇におよぶという。王を頂点とするピラミッド型の統治組織はオリエントの専制政治の様式にはまったものである。だが、その規模において膨大なものであった。

一〇〇を超える属州には州都があり、長官の住む官邸を中心とする官僚組織があった。役人たちは税として農作物と藁《わら》を集めて管理し、公民には一定期間の労働や従軍の義務が課されている。王の要請に応じて、兵士、賦役《ふえき》、軍馬、武器、手工業品および糧食を提供するのが属州のなすべきことであった。といっても、宮廷官吏や地方役人らによる私的土地所有も大規模にあり、小作人の耕作地から集まる富は都市部に住む富裕階層に集中していた。

もちろん、属国であれば、アッシリアの宗主権《そうしゅけん》を認め、その方針に協力し、貢納することを義務づけられた。ときには属国の王族や有力者、あるいはそれらの子息令嬢などがアッシリアの宮廷に差し出されることもあったという。

さらにまた、センナケリブの治世には、ある種の宗教改革ともいえる企てがあった。この出来事は、メソポタミア世界の神々について思いをめぐらすなかで、注目すべきところがある。その当時を生きる人々にとって、自国の神と異国の神とがどのように受け容れられたり祈られたりしたのか、そのような問題に目を向けるとき、心にとどめておくべきことではないだろうか。

センナケリブのバビロニア遠征は何度もくりかえされた。そのなかでも頂点をなしたのが前六八九年のバビロン攻略であった。なにしろメソポタミアでひときわ重きをなす古来の伝統ある宗教都市である。それらの文化にあふれる古都を破壊するなかで、バビロニアの最高神マルドゥクの神殿をも破砕し、マルドゥク神像をも持ち去ってしまったのである。

宗教改革を試みるも息子が暗殺

そもそもメソポタミアの人々にとってマルドゥク神は至高の地位にあるものとして崇められていた。その聖殿が破壊されたばかりか、神像が持ち去られたのだから、バビロニア人には大きな衝撃であり、はげしく反感を覚えたにちがいない。

しかしながら、いわばアッシリアの捕虜となり強制連行されたとはいえ、マルドゥク神はアッシリア人にとっても侮蔑すべき神格ではなかった。それどころか、アッシリアの神々とどのように関わるのかは、大いに気掛かりなことだった。とりわけ、アッシリアの最高神アッシュルとマルドゥク神とはいかなる関係にあるのか、学者たちは議論を重ねたにちがいない。おそらく敗れた神であるマルドゥク神をアッシュル神に習合《しゅうごう》させる試みがなされただろう。

それだけにとどまらず、ある人々にとっては、国家神アッシュルはあくまでバビロニアの最高神マルドゥクよりも優位にあるという思いがあっただろう。それを明確にしようとさまざまな試みがなされたにちがいない。なかには、マルドゥク神が「罪人」としてアッシュル神に裁かれるという物語を記す文書もある。卓越《たくえつ》したアッシュル神の姿を神学のなかで正当化しようとする試みであり、おそらくセンナケリブの意向をくんで作成されたのだろう。

とはいえ、神々を礼拝する王の姿のなかに、微妙な変化があることは見逃すべきではない。王の祈りの仕草のなかでは、これまでは神々に向かって右手の人差し指を突き出すという仕草であったが、センナケリブの治世には、右手に持ったものを鼻に近づけるという仕草に変化しているのだ。アッシリア古来の伝統を破って新しい形に変化したわけである。だが、これはアッカド語でいう「ラバン・

アピ（畏怖《いふ》する）」姿であり、バビロニアでは通常に見られた仕草であった。王の仕草が突然に異なるものになったのだから、アッシリア人は驚愕《きょうがく》したにちがいない。ここには、メソポタミアの中心にあるバビロニアの伝統の重圧が感じられ、征服者たるアッシリア王もその伝統を無視できなかったことが示唆されている。

センナケリブの宗教改革の意図するところは、バビロニアに対するアッシリアの優位を明らかにすることだった。そのために、マルドゥク神の働きに代わってアッシュル神がすべてを取り仕切るという形にしたかったにちがいない。だが、それはマルドゥク神の属性をアッシュル神に移しかえることでもあった。

別の観方をすれば、アッシュルはマルドゥクに似た神になり、アッシリアの国家宗教がバビロニア風になったのである。メソポタミア全域に行きわたる世界宗教の高みを究めるつもりだったかもしれない。だが、古来の宗教文化の長い伝統を誇るバビロニアの壁はあまりにも高かった。バビロニアを意識すればするほど、その宗教文化の風俗慣習を採り入れざるをえなくなったのだから、皮肉な結果になった。

遠征好きだったセンナケリブだが、二三年におよぶ治世の最後の数年間には遠征したという形跡がない。一族や宮廷のなかで陰謀が渦巻いていたらしく、前六八一年、センナケリブは祈りの最中に二人の息子によって殺されてしまった。もっとも、オリエント世界の為政者の間では、いささかも珍しい出来事ではなかったのだが。

エジプト征服で帝国最大版図へ

アッシリア王国では長男が王位を継ぐのが習わしであった。センナケリブの長男はバビロニアの統治を命じられてから六年後、侵入したエラム人に捕らえられ、消息を絶ってしまう。王は後継者に息子たちのなかから末子エサルハドンを選び、大勢の貴人たちを集めて、王位継承の命を順守することを誓約させた。それにもかかわらず、エサルハドンの兄たちは謀反を企て、父王を亡き者にした。エサルハドンの身にも危険が迫ったので、軍隊を率いて、謀反者たちを制圧し、王位についた。

親バビロニア派だったこともあり、エサルハドンは、偉大な都バビロンの復興は有益であるばかりか宗教的義務でもある、という思いにとりつかれた。当分は荒廃地《こうはいち》のままでいいとする父センナケリブの復讐心にかられた命令をくつがえして、エサルハドンは古都の復興に熱意を注いだ。

破壊がすさまじかったので、再建事業は彼の一二年にわたる治世のほぼ全期間におよんでいる。治世には方々に遠征しているが、とりわけエジプト遠征の戦利品はこの大規模な再建事業を資金面で支えるものになった。このせいか、各地で反乱がおこっても、バビロンは静穏《せいおん》を保っていたという。

このようななかでも、マルドゥク神殿の再建はなによりも重大な関心事であった。神殿が完成したあかつきには、エサルハドンはマルドゥク神像を返還し、華麗《かれい》なる祝典を催す計画だったという。ただし、これはその治世にはかなわぬものとなり、実現したのは次の治世であった。もちろん、マルドゥクを頂点とするバビロニアの祭儀を尊重することで、バビロニア人の歓心《かんしん》を得ながら、この地の平穏を確かなものにしようとしたのだろう。諸都市に届いた王の書簡のなかでは「わが神々であるアッシュルとマルドゥク」と両神の名が並んで記されるようになったらしい。

さらにまた、ある書簡や文書の示唆するところでは、エサルハドンは迷信深いところがあり、ほとんど神経症を病んでいたかのようであった。それとともに、厄介《やっかい》な不治の病に苦しんでいたことも明らかだった。このような自分に降りかかった心の負担が、彼をますます神々への配慮に向かわせていたかもしれない。

ところで、エサルハドンの遠征は多方面におよぶものだった。東では、騎馬遊牧民のキンメリア人とスキタイ人が立ちはだかり、ほかの方面でも長期的な戦略が必要だった。ほどなく、抵抗するバビロンの反乱者たちを処刑し、東地中海の沿岸部では、シドンを占拠し、レヴァント諸国およびキプロスからは貢納をとりたてた。アラビア北部の諸部族を服属させ、北方のウラルトゥとの国境地域の一部を占領した。

エサルハドンの治世のなかで、なによりも心がけた軍事活動はエジプト遠征であった。おそらく陰に陽に、アッシリア西方の属王たちに反乱をけしかけていたからだろう。やがて、シナイ砂漠の水不足に苦慮しながらも、エジプトに到達し、メンフィスの掌握に成功する。みずから「エジプトの王」を名のり、覇権を誇示した。これによって、アッシリア帝国は最大版図に達したという。

それにもかかわらず、シリア・パレスティナの諸勢力は、ときとして反乱を企てることがあった。そのために、エサルハドンはこれらの鎮圧に忙殺《ぼうさつ》されたらしい。幾度も討伐に乗り出し、やがてその進軍の途上に死亡した。

アッシュルバニパル王の復興と遠征

エサルハドンの急死には、生来の病のせいというより、毒殺の疑いがある。アッシリアでは長男が王位を継ぐのが慣習であったが、エサルハドンが後継者に指名した息子のアッシュルバニパルは長男ではなかった。このような異例な場合には、王位継承の決定を順守させるための大々的な誓約の儀式が実施された。王子たちをはじめ貴人たちや重臣たちを呼び集めて、新しい王に忠義を尽くすことを神々の前で誓約させるのである。それを示唆する誓約文書（「エサルハドン宗教権条約」）があり、そこには次のように記されていた。

汝らの主人エサルハドンが逝去《せいきょ》したならば、皇太子アッシュルバニパルをアッシリアの王位に就《つ》けなければならない。

さらにまた、その誓約に違反したときの処罰の言葉も添えられている。

もしアッシュルバニパルが我々の王にならないことがあれば、これらの神々が我々や我々の子孫に責任を追及されるように。

このようにセム語系の文書では、誓約違反の場合に、しばしば神々が災《わざわ》いを下すことを願う呪《のろ》いの言葉が連ねられている。

これらの呪詛《じゅそ》にはさまざまな種類があるらしい。ある呪詛はバビロニア文化圏に由来し、また別の

渡河するアッシリアの軍兵。大英博物館蔵

呪詛はヒッタイト文化圏に発し、ほかの呪詛はアラム文化圏に起源をもつ、という具合だった。どのような民族であれ、なじみの言語で書かれた誓約文書があり、できるだけ効力をもつように配慮されたのである。それはまさしく世界帝国にふさわしいことであった。

前六六八年、アッシュルバニパルは王位につく。彼がまずなすべきは、父エサルハドンのバビロン復興事業を引き継ぎ実現することである。なによりも、神殿を再興し、マルドゥク神像をバビロンに返すことだった。さらに、神々の聖所が各地にあったので、それらをアッシュルバニパルの名によって修復した。

さらに、アッシリアを取り巻く国際情勢を見れば、未解決の問題が山積していた。なにはともあれ、父王の逝去のため中断していた遠征を再開する。まずはエジプトを攻撃し、メンフィスに進軍した。途中、レヴァント地方の属国は服属の意を示して貢物を差し出したという。エジプトのファラオは南の古都テーベに逃れたが、アッシリアによる支配は安定せず、反乱もおきていた。やがて、アッシリアはこれを鎮圧し、秩序の回復に努めた。

数年後に新たな反乱が勃発すると、アッシュルバニパルの率いる軍勢はナイル河を上ってテーベに進軍した。ほどなくテーベを陥落させ、その征服地から富を略奪したという。以後ほぼ十年にわたって統治権を握ったが、ついにはエジプトの勢力が反撃し、独立するまでになった。

また、騎馬遊牧民のキンメリア人はアナトリアに侵入していたが、先住民の要請でアッシリアが支援し、キンメリア人は撃退された。シリア方面では、南下したキンメリア人がアッシリアの属国を脅《おびや》かしていたから、アッシリアの攻勢は当然のことだった。

バビロニアの東方にあるエラムでは、テウマン王が全土に君臨し、アッシリアに対抗する構えだった。テウマンがバビロニアに侵入すると、前六五三年、アッシュルバニパルはエラム軍と会戦し、テウマンを追いつめ、息子とともに殺してその首を打ち取った。その有り様は浮き彫りに再現され、楔形文字で説明されている。

「私、アッシリア王アッシュルバニパルはアッシュル神の助けによって切り取ったエラム王テウマンの首とともに意気揚々にニネヴェに帰還した」

「私、アッシリア王アッシュルバニパルはエラム王テウマンの首を町の真中の門の向かい側にさらした」（『メソポタミアの世界　必携』）

これらの碑文とともに、首吊りの浮き彫りは、今日、大英博物館のアッシリア回廊を飾っており、その白眉《はくび》となる一つである（七七頁）。そこでは、アッシュルバニパルと王妃が饗宴を催しており、テウマンの首は庭園の木に吊るされている。その残忍さは現代人を驚愕させるが、それは古代世界にあっては必ずしも異例ではなかった。

反旗を翻した実兄も征伐

ところで、長男ではなかったアッシュルバニパルの兄は名ばかりの実権の少ないバビロニア王であったが、二人の仲は、十数年の間、平穏であった。だが、アッシュルバニパルの大遠征がくりかえされると、もともと不満をいだいていた兄の目にはアッシリアが疲弊《ひへい》していると映ったのかもしれない。それを好機と見なして、前六五二年、アッシリアに反旗を翻《ひるがえ》した。この実兄の反逆を知ったアッシュルバニパルは急いでバビロン市民宛の手紙を書いており、その写しが残っている。

〝非兄弟〟が汝らに語った風（虚言）を私も聞いた。しかし、それは風にすぎない。彼を信じてはいけない。私の神々であるアッシュルとマルドゥクにかけて誓う。もし彼が私について語っているすべての悪い事を、もし本当に私が胸の内に思い描いたり、口に出して言ったことがあるならば（神々が私を呪うように）。（日本オリエント学会監修『メソポタミアの世界 下』）

実兄を〝非兄弟〟とよんで突き放したうえで、虚言を信じるなと警告する。反乱の勢いを削《そ》ぐために必死になっている様がわかる。だが、バビロン市民のみならず、カルデア人、アラム人、アラブ人、エラム人もまた反アッシリアの陣営に加担した。

アッシリアの宗主権を拒否する反乱は、バビロニア全土で四年間もつづいたという。これらの混乱の後、アッシリア軍はバビロンを二年間にわたって包囲し、ついに攻め落としたのである。炎上する宮殿のなかで、〝非兄弟〟は没したと伝えられている。

このようにしてバビロニアを鎮圧した後、加担したエラム人やアラブ人の勢力を制裁しなければならなかった。容易には屈伏しなかったが、アッシリア軍は攻勢をくりかえし征伐にあたったので、ほどなく平穏に戻った。

「ニネヴェの図書館」を造った教養人

アッシリアについては、圧倒的な軍事力による覇権ばかりが強調されがちである。しかし、アッシュルバニパル王はみずから文字を読めることを誇り、文書を収集することにことさら興味を示した。アッシュルバニパルは長男ではなかったので、もともと王位につくつもりはなかったらしい。宗教や文学の教養を身につけ、シュメール語やアッカド語のような古語を読めたし、歴史や数学にも通じていたという。文字と学問の神としてナブ神がいたが、この王はことさら尊敬の念をいだいていたらしい。

そのために、古来の記録を集めた「ニネヴェの図書館」が造られ、その遺跡は今日でも見ることができる。なかでも、文芸作品が書かれた粘土板文書の収集に努めたらしい。そのために、王みずから数多くの手紙を書いていたという。それらの一通の写しが残されている。

私は元気である。あなたも喜ぶように。この手紙を見た日に、……学者たちによびかけて、彼らの家にあるすべての粘土板文書とエジダ神殿に保管されているすべての粘土板文書を探すように。……呪文集《じゅもん》『エアとマルドゥクが私に知恵を十分授けられますように』、ある限りの戦闘に

楔形文字で『ギルガメシュ叙事詩』が書かれた粘土板文書。ニネヴェ出土。大英博物館蔵

> 関するシリーズ、……、（シリーズ）『戦闘中に矢が人間に近づかないために』、（シリーズ）『荒野をさまようとき』、……、その他王国にとって良いもの、……、珍しい文書、……アッシリア国内にはないものを探して私に送るように。……誰も文書を留めおいてはならない。もしあなたがたが、私が挙げなかった文書や儀礼（の書）を見出し、それらが宮廷にとって良いものであるならば、それらをも収集して私に送るように。（『メソポタミアの世界　必携』）

個々の書名まで挙げてあり、すさまじいばかりのアッシュルバニパルの収集欲には驚かされる。この図書館から出土する多数の粘土板文書が蓄積されているせいで、アッシリア学とよばれる学問が成立している。もともとおよそ五〇万におよぶ楔形文字の粘土板文書があったという。アッシリアを中心としたメソポタミア地域全体の歴史は、そのような文書記録を通じて研究されるのである。

浮き彫りで見ると、文書を作る書記は二人一組で仕事をしていたらしい。一人はアッカド語を楔形文字で粘土板に刻み、もう一人はアラム語を楔形文字で（後にはアルファベットで）羊皮紙に書くのだ。だが、現存する記録は、燃えても焼失しない粘土板に書かれたアッカド語のものがほとんどで、まれにアラム語の粘土板も見つかっている。

海のフェニキア商人と陸のアラム商人

それらの文書記録のなかで、商業交易に関する情報がほとんど見られないのは異様なほど目につくという。支配領域の膨張《ぼうちょう》にもかかわらず、遠距離交易が盛んになったという形跡がないのは、なんとも奇異である。必需品の多くが、貢物、租税あるいは戦利品として流入したので、かえって遠距離交易が活発になる機会がなかったのかもしれない。たとえば、フェニキア人はその当時、東地中海世界の商人として活躍していたが、彼らの港市の交易からあがる利潤はアッシリア王に吸い上げられやすかったのである。このような巧妙な徴収組織を拡大し強化したせいで、自由な商業交易活動がふるわず、どこか限りあるものにとどめていたのだろう。

さらにまた、忘れてはならないことがある。アッシリアの軍事活動は幾度となくくりかえされたが、それには、分裂し閉鎖していた各地を打破し、広大な交易路を切り開いていく面もあった。その背景には、西アジアの諸勢力の間で物資の交換がますます必要とされていたことがある。その動きにうながされた世界帝国の出現であった。それらの国際交易は、海路におけるフェニキア商人や陸路におけるアラム商人の活躍によるものが大きかった。

フェニキア商人は地中海交易で仲買人としての役割を許されていた。レバノン海岸とイベリア半島南部をはじめとする地中海各地の要所が結ばれ、金属、木材など各種の製品が取り引きされた。

アラム人は交通の要所ダマスクスを拠点に王国を築き、この首都は隊商都市として繁栄したが、とりわけ鉄交易の中心地であったらしい。前八世紀後半にアラム人の王国がアッシリアによって滅ぼされた後も、アラム商人の活動はますます拡大するほどだった。彼らの足跡は南のエジプトから東の中央アジアにまでおよんだという。

その国際交易活動を通じて、アラム語が西アジア一帯に広がり、商業用語にとどまらず、外交用語としても重宝されるようになっている。それとともに、アルファベットとパピルス・羊皮紙が使用され、それを内陸アジアまで普及させたのもアラム人である。

このようにして、遠隔の各地を結ぶアラム人の活動はアラム語とアラム文字を広大な地域に行き渡らせたが、それは拡大しつつ統合に向かう時勢によく適応した動きであった。ある意味では、アッシリアの軍事征服に優るとも劣らない文化活動であり、それほどに深い影響をおよぼしたとも言えるのだ。

アッシリア社会の土地と家族構成

しばしば、アッシリア帝国にあって全国土は王の所有であった、と唱えられることがある。だが、理念のうえでも王を全国土の所有者とする公式は見出せないという。

たしかに、近現代人から見れば、所有のあり方は社会構成の根幹をなすものであろう。公有地ならば、それを司《つかさど》る主体は国か、州県か、市町村かということになり、私有地なら個人所有か共同所有かが問われることになる。そこでは、所有と非所有とがはっきり区別されている。

だが、歴史をさかのぼれば、生産労働のあり方にともなって、所有と非所有の間にはさまざまで曖味な所有形態の慣行がありえた。たとえば、入会地《いりあいち》や荒蕪地《こうぶち》のような土地は誰が所有しているのかという点が気になるだろう。そもそも所有とは、近代ヨーロッパ人がいだいた観念であるから、それがどこにでも当てはまるわけがないのだ。

ところで、王権が専制化すれば、曖昧な所有権のせいで、王が全国土の所有者のごとき全能者と見えたかもしれない。だが、その時代や地域の慣行を無視して、王権が勝手気ままに土地問題を処理しえたはずがない。アッシリア帝国の場合も、私人や地域共同体の土地をめぐって、王が恣意的《しいてき》に処分したことを証言する史料は見当たらないという。

アッシリアはティグリス河上流の狭い河谷《かこく》に沿って広がっており、もともと耕地になりうる範囲は限られていた。そのために住民が占拠すれば、それぞれの所有地として分割されていた。王領地が拡大される余地はほとんどなく、貧しい土地にすぎなかったという。いずれにも所属しない土地は国有地のごときものだったが、水利も乏《とぼ》しい荒廃した原野であった。

前一千年紀になると、鉄器が普及し、井戸や水路が掘削《くっさく》され、揚水機《ようすいき》を使って原野を灌漑できるようになった。このような開拓のためには、強制移住政策による労働力が大量に役立ったという。これらの広大な国有地が王領地として開拓されたことで、前八世紀以降の王権の基礎ができあがったのである。

このような国家を支える社会について、人口や家畜などの動向を知ることができるだろうか。史料がかぎられている古代であれば、それほど期待できないだろう。だが、幸いなことに、ニネヴェ図書館には人口と動産の統計表を示唆する粘土板文書が保存されていたのだ。アッシリア支配下の一つの都市に関するものであり、「ハルラン人口表」とよばれている。

そこに記された家族構成に目をやると、世帯主六八人に対して妻の数九四人であるのは多妻であったと言うべきだろうか。子供の数を見ると、男児七四人と女児二六人とそれほど多くはない。男女比に差があるのは、女児の遺棄《いき》や売却を暗示するものだろう。一家族の構成員の数も八人が最高であるから、意外に少ないようである。農奴については、両親一六六人に対して子供は一〇三人、総員二六九人のうち男一四六人、女一二三人になる。ほかにも、果樹園、ブドウの樹の数、家畜の数など動産の具体例が知られている。実例をあげれば下記のようになる。

樹木栽培者シ－ナディン－アプリの子、アルナバー、
かれの母。合計二名。
樹木栽培者パップー、
かれの子サギブ（ザ）、
かれの子イル－アバディ（シャ）、
二人の妻（婢？）。合計五名。
一万本のぶどう（？）の樹。二軒の家屋。
かれら自身の畑地一〇イメル。
全部サルギ町のハナナー町（にあり）。（杉勇 訳）

この農奴には二人の子と二人の妻がいる。ふつう、息子の名は記されるが、娘や妻は書かれない。樹木一万本はアッシリア地域ではありがちな数である。多い場合は二万九〇〇〇本もあるらしい。畑地の各所有面積は記されていないが、通常は二〇イメル（約一七リットル 種まきに必要な穀物の分量）であるという。

かぎられた史料であるから、アッシリア社会の家族構成を一般的に語ることはできない。だが、古代の家族といえば、大家族を想像しがちであるが、意外にも小規模家族であったことの片鱗《へんりん》は示唆されている。それにしても、子供は娘の数が少ないのにもかかわらず、妻となると世帯主の夫の数より多いのは、背景にいかなる事態があったのだろうか。興味深い問題はまだ尽きないほどあるようだ。

宗教儀礼を描出したアッシリアの浮き彫り

アッシリア帝国を今日に伝えるのは、なによりも浮き彫り芸術である。王宮の壁面を飾っていた雪花石膏《アラバスター》や石灰岩の石板に刻まれた豪華な浮き彫りには圧倒される。礼拝する王の姿は形式にならっているが、衣服の縁飾りや装飾品などが細部にわたって克明《こくめい》に彫られている。さらに、軍隊の遠征、戦闘の場面ばかりか、宿営での馬の世話や調理の様子などが写実的に描かれている。

戦闘の浮き彫りには、アッシリア兵が敵兵の首を切りとったり、皮を剝《は》いだりする場面があり、残忍な印象をもたらすにちがいない。だが、その背景では、アッシリア軍がよく訓練されており、強力な武器をもち、優れた技術を習得していたことも忘れてはならない。たとえば、アラブ人との戦いを描いた浮き彫りでは、二人ずつラクダに乗ったアラブ人は、一人は弓兵として弓を引き、もう一人は御者としてラクダを操縦するが、アラブ人は上半身裸でほとんど武器をもっていない。これでは、アッシリア兵との軍備の差があまりにも目につく。いかに強大な軍事国家として君臨しようとしていたのか、その世界帝国の姿がよく示唆されているのだ。

かくして、アッシリア軍は最強を誇ったが、古代人にはありがちなことに、戦いの勝敗は神々の意志で決まると信じられていた。数多くの占い文書が出土しているが、戦争に関するものも少なくない。煙占いでは煙のたなびき方が問われ、肝臓占いでは生贄《いけにえ》になる動物の肝臓の部位の形や色が問われたという。遠征を開始する前にも、遠征中も、その都度の勝敗が占われたのだから、古代の人々には神々の意志はよくよく気になるところだったのだろう。王の身辺には占い師や呪術師《じゅじゅつ》がいて、ときには政治に介入することもあったらしい。

ところで、アッシリアの浮き彫り芸術のなかでも、王によるライオン狩りの描写は白眉をなすほどの傑作群である。そもそもメソポタミアでは、すでに前三千年紀には槍や弓矢でライオン狩りをする図柄が石に浮き彫りされていた。おそらく背景には英雄による怪物退治の神話物語があったのではないだろうか。

天地の自然は底知れない世界であり、そこには不気味な怪物が棲息《せいそく》してもおかしくなかった。それは現実味《リアリティ》のある想像であっただろう。怪物は頭が三つも七つもある龍であったり、翼を広げたライオンであったりする。これらの怪物を退治する者は、神であったり英雄であったりする。英雄はときには半神として崇められていた。

このような流れのなかで、英雄のごとき王が期待されたのは当然であった。ニネヴェ宮殿の浮き彫

アッシュルバニパル王のライオン狩りの浮き彫り。勇ましい王の姿（上）とともに、何本もの矢に射られたライオンの姿も生き生きと描かれている（下）。大英博物館蔵

りには、アッシュルバニパルに跳びかかっていくライオン、尾をつかまれても後ろ足で立ち上がって威嚇《いかく》するライオン、何本もの矢に射抜かれて苦闘するライオンなどの姿が実に生き生きと描かれている。

ライオン狩りは、あらかじめ寄せ集められた数多くのライオンが放たれ、裏方として大勢の家臣たちが手助けする催しだった。王や王一族の娯楽というよりも、王としての義務であり、神々を崇拝する儀礼であったにちがいない。狩りの終幕の場面では、殺されたライオンが供物《くもつ》として祭壇の前に並べられ、香がたかれ、音楽が奏でられるとともに、王がそこで供物の上に液体を注いでいる。これらは一連の宗教儀礼として描出されているのだ。

3　帝国の分裂と文明の終焉

史上初の世界帝国への反感

それにしてもアッシリアはかつてない大規模な覇権をオリエント世界に築いたのである。西方では、アラム系諸国、ヒッタイト系諸国を滅ぼし、南方ではバビロンの王権を握り、由緒あるバビロニア王をも兼任することになる。さらに、シリア・パレスティナ地域にも覇者の勢威を見せつけた。ここにいたって、アッシリアは、このオリエントの地で、前例のない巨大な覇権国家としての世界帝国に成長したのである。

アッシリアはまた、たんなる支配領土内の範囲にとどまらず、国際交易の拡大に努めている。そのために、帝国の規模をはるかに越えて国際商業ネットワークが成立することになった。

さまざまな地方の相異なる民族を統治するにしても、それはどの国もかつて体験したことのないものであった。すべてをみずから案出しなければならないのである。そこに、あの悪名高い強制移住という手段が生まれる余地があったのではないだろうか。

もっとも、アッシリア以前にも、征服地の住民を強制移住させた例がないわけではない。メソポタミアのみならず、エジプト、ヒッタイトでも見られ、オリエント世界では慣例化していたともいえる。しかし、その規模が大きく組織され恒常的であったことにおいて、やはり他例をはるかに凌《しの》ぐものであった。

この大量捕囚《ほしゅう》ともいえる強硬策は、まずもって征服地の有力者層を根こそぎ移住させることで、反乱の芽をつむことであった。それとともに帝国の組織を運営するために必要な数の兵士、職人、労働者を必要な場所で確保することでもある。さらにまた、捕囚民が流出した地域が荒廃しないように、そこには他国からの捕囚民が強制的に移住するような措置もなされている。

こうして強制移住させられ捕囚民となった人々が類例のないほど大量にいたのである。そのことがアッシリアの強圧的支配をことさら印象づけるものになったにちがいない。アッシリア帝国滅亡後、名高いユダヤ人のバビロン捕囚があったのも、帝国支配の強硬策が踏襲《とうしゅう》された例にすぎないのである。

アッシリア帝国が強圧的な態度であればあるほど、被征服民の反感をかうのは当然であった。アッシュルバニパル王の死後、帝国の内外の勢力が離反したり、独立を企てたりする動きが目立ってくる。さらにはアッシリアの統治力では抑圧できない新興勢力が台頭する。そうしたなかで、前六〇九年、またたく間にアッシリア帝国は崩壊してしまうのである。

アッシリア帝国は、広大な支配領域あるいは多様な異民族支配において、かつてどの国も直面したことのない事態に対処しなければならなかった。そこには試行錯誤があり、乱暴で粗野な施策も少なくなかっただろう。とりわけ、アッシリア帝国は強制移住策などの強圧的な態度を示したために、被征服民の反感をかう運命にあった。その意味で、世界帝国としてはじめて登場した勢力としての欠陥も目につく。そのような「強圧の帝国」であるかぎり、アッシリアの覇権が永くつづくことはなかったのである。

さらにまた、フェニキア人やアラム人の活躍で国際交易が盛んになったとはいえ、その広大な交易活動の世界のすべてを支配下においていたわけではない。むしろ、アッシリア帝国の国境は、外界との交易をめぐっては保護したというよりも、交易活動からの収奪によって発展を阻害していた面を否定できない。経済活動圏としては、まだ完結していなかったのである。

帝国の内外の勢力が離反したり、独立を企てたりするなかで、アッシリア帝国の統治力では抑圧できない新興勢力が台頭する。帝国を脅かしたのは、アナトリア西部のリュディア、バビロニア南部のカルデア、イラン高原を本拠とするメディア、アフリカ大陸北東隅部のエジプトの勢力であった。前七世紀末、これら四つの地域が分離し、それぞれが独立した覇権を築くようになる。

四国分立時代——①新バビロニアによるバビロン捕囚

前六二七年、アッシュルバニパルが没し、そのバビロニアにおける傀儡《かいらい》政権も崩壊した。ほどなく、カルデア人の一派がバビロニアの王位につき、新バビロニア王朝を樹立する。この新王朝は、かつてのハンムラビ王にならった覇権国家をめざすのである。

アッシリア軍はなお勢力を保っていたので、新バビロニア軍との間で、攻防がくりかえされた。やがて、イラン高原からメディアが進撃してアッシュルを制圧し、新バビロニアと手を組んで協約を結んだ。前六一二年、両勢力の連合軍はニネヴェを包囲し、征服する。なお反撃するアッシリア人を追いつめて放逐《ほうちく》した。アッシリアの残党を援護してエジプトからの分遣隊が来たが、新バビロニア軍はこれを撃破した。このとき新バビロニア軍を率いたのが、有能な皇太子ネブカドネツァル二世であった。

反アッシリアでよしみを通じたので、ネブカドネツァルは同盟者メディア王の娘と結婚する。彼は、最初は王子として、後には王として、バビロニア軍を統率し、その治世は四三年間（前六〇五～前五六二年）におよんでいる。この期間に、首都バビロンは復興して、ふたたび華やかさをとりもどし、太古の栄光あるハンムラビ王期を凌ぐほどだったという。当時のオリエント世界では最大に繁栄した都市であった。

軍事作戦のうちで、ほとんど三〇年間は、シリア・パレスティナ地方を征服し平穏にすることに傾けられた。この強情きわまりない地域の諸小侯国が叛服《はんぷく》をくりかえしたからである。断片的な史料から知られるかぎりでは、この作戦はかなり困難をきわめたものだった。一〇年にわたってバビロニア軍は西方戦線にしばりつけられたという。

かつて敗戦をこうむったことで、エジプトはアジア勢力との対決に気乗りのしない態度だった。だが、やがてエジプト国境でバビロニアを迎え撃たざるをえなくなった。年代記が「両軍とも重大な損失をこうむった」と伝えているからには、勝敗の見えない一進一退の混戦だったのだろう。翌年、ネブカドネツァルは母国に帰ったが、戦力の要《かなめ》となる馬と戦車を立て直すためだったという。その結果、どうなったのかは、知る由もないのだが。

このようななかで、エジプトの影響力が弱まりつつあったにしても、西方の地域はいぜんとして反乱の火種がくすぶっていた。なかでも、ヘブライ人のユダ王国が抵抗しつつも陥落される顚末《てんまつ》は、旧約聖書のなかに生き生きと描かれている。

ゼデキヤの治世第九年の第十の月の十日に、バビロンの王ネブカドネツァルは全軍を率いてエルサレムに到着し、陣を敷き、周《まわ》りに堡塁《ほうるい》を築いた。都は包囲され、ゼデキヤの第十一年に至った。その月の九日に都の中で飢えが厳しくなり、国の民の食糧が尽き、都の一角が破られた。カルデア人が都を取り巻いていたが、戦士たちは皆、夜中に王の園に近い二つの城壁の間にある門を通って逃げ出した。王はアラバに向かって行った。カルデア軍は王の後を追い、エリコの荒れ地で彼に追いついた。王の軍隊はすべて王を離れ去ってちりぢりになった。

王は捕らえられ、リブラにいるバビロンの王のもとに連れて行かれ、裁きを受けた。彼らはゼデキヤの目の前で彼の王子たちを殺し、その上でバビロンの王は彼の両眼をつぶし、青銅の足枷《あしかせ》をはめ、彼をバビロンに連れて行った。(「列王記」下、二五・一－七)

親衛隊の長は、祭司長セラヤ、次席祭司ツェファンヤ、入り口を守る者三人を捕らえた。また彼は、戦士の監督をする宦官《かんがん》一人、都にいた王の側近五人、国の民の徴兵を担当する将軍の書記官、および都にいた国の民六十人を都から連れ去った。親衛隊の長ネブザルアダンは彼らを捕らえて、リブラにいるバビロンの王のもとに連れて行った。バビロンの王はハマト地方のリブラで彼らを打ち殺した。こうしてユダは自分の土地を追われて捕囚となった。(「列王記」下、二五・一八―二一)

エジプトに支援されながらユダ王国はバビロニアに抵抗したが、前五九六年、イェルサレムが陥落し、住民の一部が移住させられた。だが、前五八六年には都は完膚なきまで破壊され、住民は土地を追われて連れ去られた。史上に名高い「バビロン捕囚」の開幕の場面が物語られている。

これは新バビロニア王国の歴史のなかでというだけでなく、世界史にも類例を見ない特筆すべき事件であった。他者からヘブライ人ともよばれたユダヤ人が新興勢力にのみこまれてバビロンに連れて来られたのである。

この後、およそ三世代にわたってユダヤ人は異郷の地にとらわれていたが、それによって自分たちの結束と自意識を強めていったという。その悲哀と艱難辛苦の経験をくりかえしながら、ユダヤ教とユダヤ人の国家が形成されるのだった。やがて今日では旧約聖書とよばれる教典そのものが形を整えていく。ここには後世に多大の影響をもたらす世界史上の出来事があったと言えるだろう。前六世紀において、バビロニアを拠点とした勢力の下に虐《しいた》げられた民にふりかかった事件だったが、それだけにとどまらない大きな意味をもっていた。

バビロンの「バベルの塔」「空中庭園」

ところで、新バビロニア王国はアラム語系の人々であったためか、そもそもは軍事征服よりも交易活動を重んじていた。国家と王朝の富の源泉は商業交易にあったのだ。バビロンが首都となり独立を回復したのであり、その地はハンムラビ王の古来より組織としての商業活動の伝統をもっていた。なによりも交通の要衝に位置していたのだ。

ペルシア湾を通じて外洋と結ばれ、イランやインドとも通商があった。またタウルス山脈の峠道やキリキアを通れば、アナトリアと交易ができた。さらに、フェニキアやシリアの諸保護領を通じて、地中海の沿岸部とも結ばれていた。

メソポタミアの歴史をふりかえってみれば、この時代のバビロンは最も名高い都市である。前五世紀のギリシア人歴史家ヘロドトスですら、バビロンの町の規模は「広大な平野の中にあって……巨大なものがあるが、バビロンはまた、われわれの知る限り他に類のないほど美しく整備された町でもある」(『歴史』一巻、一七八)と讃えるほどだった。

ほかにも、ディオドロス、ストラボンなどのギリシア系作家の記述があり、また一七世紀以降の発掘調査の成果も重なり、かなり詳しい知見が得られている。とりわけ、一九世紀末からのドイツ隊の大規模発掘によって、新バビロニア層が発見されたのは画期的であった。そこには周囲一八キロメートルにおよぶ外壁を備えた要塞都市が現れている。市街地はユーフラテス河によって二分されており、石脚に支えられた橋で結ばれていた。

バビロンの「空中庭園」とよばれる遺跡

川沿いには、高い屋根のあるマルドゥク神殿が建てられ、そびえ立つ聖塔としてのジグラットが再建された。聖なる古都バビロンの再建をめざしていたネブカドネツァルは、さらに数多くの神殿を建立したり修復したりしたという。

なかでも、「バベルの塔」とよばれる頂が天に達する塔は、バビロンのジグラットと見なされることがある。だが、今のところ確証できる根拠はない。底面の土台は九〇メートル四方で、その上に七段ほどテラスが積み上げられていたらしい。ジグラットの高さはおよそ九〇メートルほどだったという。塔の頂までは階段で登っていくようになっていた。

さらに、ネブカドネツァルは父王の宮殿を拡張したと伝えられている。宮殿は厚い壁で囲まれ、中庭の周囲には数え切れないほどの部屋があったらしい。ここには、古代の七不思議にあげられる空中の「吊り庭園」の形跡があると見なす者もいる。石材のアーチによって支えられた屋上のテラスのことだったらしい。

古代の書には、バビロンの町には神々の名にちなんだ九つの門があったというが、そのうちイシュタル門だけが発掘され、ベルリンのペルガモン博物館で復元されている。青色釉薬《ゆうやく》をかけて焼いたレンガと彩色レンガで描かれた動物の浮き彫りで飾られており、豪華で美しい城門はひときわ目をひく。

マルドゥク神殿からイシュタル門を通り抜けると北には外壁の門がある。この大通りは行列道路であり、重要な新年祭の舞台でもあったという。ネブカドネツァルがバビロン再建に熱意を燃やした様子は、マルドゥク神の行列道路の敷石に刻まれた王碑文の片鱗《へんりん》にも残されている。

「我はバビロニア王ネブカドネツァル、バビロニア王ナボポラッサルの息子である。偉大な主マルドゥク神の行列のためのこのバビロンの行列道路を、山から切り出した石で舗装した。我が主マルドゥク神よ、我に永遠の命を与え給え！」(『メソポタミアの世界　必携』)

ベルリンのペルガモン博物館に展示されたイシュタル門の復元模型。著者撮影

この行列道路の両脇には彩色レンガを積み上げた壁があり、門番の役割をなすライオンの図柄が並んでいたという。

バビロンにおける祭式の中心はマルドゥク神の礼拝であったが、とくに重要なものは王が主催する新年祭であった。一月の最初にあたる一二日間に執り行われるが、春分の頃に相当するという。神が去る一年の苦悩と衰退という受難を克服して、新年にあたって歓喜あふれる再生を成し遂げることを祈念するものだった。それによって、この世に繁栄がもたらされると信じられていたのだ。この信仰はオリエント各地の豊年祈願祭をめぐる信仰にまで広く行きわたったという。

月神信奉のため神官が離反

新バビロニア時代の最盛期はネブカドネツァルの治世であったことは言うまでもない。彼は神殿をもりたて、祭礼を重んじて、神官たちを厚遇したので、神官たちとの間は円満であったという。王の晩年については、バビロニア文書はなにも記録を残していない。だが、旧約聖書の「ダニエル書」には、王の栄華とともに、後に発狂した様子が描かれているのは興味深い。バビロニア側の王の側近がこのような出来事を記録するはずがないので、聖書の記述はあんがい真相を伝えているのかもしれない。

ネブカドネツァルの死後、彼の息子、親族などが王位についたが、彼らの治世は、暗殺や陰謀が渦巻くなかで、短かった。これらの混乱を背景として、前五五五年、名門出の傑出した市民であるナボニドスが即位する。おそらく王位を簒奪したのだろう。

治世初期の数年間は遠征のため各地を転戦したが、やがて、アラビア半島に移り住み、そこに一〇年間逗留《とうりゅう》している。その期間、国政は皇太子に委ねられていた。ナボニドスは、母親が月神シンの女祭司であったせいか、この神の熱心な信奉者であった。この母親は実力者でもあり、王の母として刻ませた碑文が残っている。

私は両手を神々の王シンに向かって揚げ、恭《うやうや》しく祈りを捧げた。〝私の胎内から出た息子、母に愛されたナボニドスをあなたは王に任命され、その名を呼ばれました。……〟（『メソポタミア

の世界　必携』）

こうして月神シンの位が高まり、バビロニアでこれまで重んじられてマルドゥク神が背後に押しやられたために、ナボニドスはバビロニアの神官や有力者たちの支持を得られず、孤立しがちだったという。バビロンを離れたのはこのシン崇拝の王が嫌われていたせいだったのだろう。

ナボニドスは治世の最後の時期は本国をかえりみなかった。前五三九年、勢いにのるペルシア軍にバビロンが包囲されたときにも、バビロンに戻りながらも、彼の関心はバビロンにある神像を取り戻すことにあったという。この都でナボニドスは捕らえられたが、寛大に扱われたらしい。

四国分立時代――②最強の騎馬軍団を誇ったメディア

メディアは、イラン高原の北西部にあたる。もともとは北方からこの地に移動してきた印欧語系のゆるやかな部族連合であった。やがて前八世紀になると、諸部族が同盟してザグロス山脈の中央部にエクバタナを首都とする王国を築いている。

メディア人は文字を使用しなかったらしく、遺跡からも今のところ文字記録の類はまったく出土していない。前五世紀のギリシア人歴史家ヘロドトスの『歴史』には、メディア人高官の子孫が語ったところを参考にして書かれた記述がある。

それによれば、首都エクバタナには七重の環状に城壁をめぐらした王城が築かれ、民衆は城壁の外に住んでいた。儀礼法を制定して王の威厳を高め、臣下をかしずかせ、ペルシア人のほか多くの民族を支配下においた。

メディアは北方の騎馬遊牧民であるスキタイ人の影響を受けているために、騎馬の戦術に長けていた。このような騎馬軍団をつくりあげることによって、メディアは最強の騎馬軍団をもっていたのだ。そのような評価と誉《ほま》れがオリエント地域一帯で広がっていた。

前七世紀末には、バビロニア人と同盟して、アッシュルを攻略し、ほどなく新アッシリアの首都ニネヴェも陥落した。ここにアッシリア帝国は消滅し、分割されて、北半分はメディア領に入った。

西方ではリュディアとも戦ったが、平和条約が結ばれたという。東方におけるメディアの支配領域は不明であるが、かなり広大な範囲におよんでいたようである。だが、王国内の逆臣の陰謀もあり、前五五〇年、弱体化したメディアは新興のペルシアによって打倒された。

四国分立時代――③初めて貨幣を鋳造したリュディア

リュディアは、アナトリア半島の西部に覇権を築いた勢力である。そもそもリュディア人はアナトリア土着民であったらしいが、その言語は印欧語系であった。文字はアルファベットの変種であったが、リュディア語はリュディア人の独立が失われた後も長い間使われていたらしい。だが、年代記史料はまったく残っていない。

リュディアの北東にはフリュギア人の王国があり、前八世紀には繁栄していたという。フリュギア人も印欧語系の言語であり、リュディア語と大差はなかったらしい。だが、前七〇〇年前後に、騎馬遊牧民キンメリア人が侵入し、終わりを告げている。

このフリュギア崩壊後の前七～前六世紀がリュディアの最盛期にあたる。フリュギア平原を征服し、地中海沿岸のギリシア人の諸都市まで遠征するようになった。巧みな外交交渉と武力によって、ギリシア人の住むエフェソスのような都市国家と同盟しながら、やがて保護下におさめている。抵抗するスミュルナなどの都市国家は潰《つぶ》され、エフェソスなどの一部を除いてアナトリア西岸のイオニア全土がリュディアの支配下におさまっている。

強圧的なアッシリアの支配と異なり、リュディアはギリシア系諸都市に対して節度ある態度をとっていたという。守備隊を配備せず、代官をおいて、貢納を課しただけだった。その根底には、リュディア人とギリシア人の利害が共通していたことがある。イオニアは保護領となったが、この地域の豊かさは少しも損なわれず、リュディア人の文明は華やかであった。

とりわけクロイソス王の富と名声は名高く、隣接するギリシア人の間でも伝説となるほどだった。リュディア王家の資源は、東西交易を中継し、そこから生ずる関税によるものだった。そのために隊商路に沿って宿駅が設けられ、道路網が整備されている。この交易路は後のペルシア帝国の道路網の祖型をなしたのである。

それとともに、何よりも名高いのは、リュディアの王たちによって、世界史上初めて、貨幣が鋳造されている。じっさいには琥珀《こはく》製の硬貨であったが、やがて金貨や銀貨が登場する。ヘロドトスの伝えるところでは、リュディアの王たちはギリシア本土の名だたる聖地に惜しげもなく豪華な贈り物をしたという。それらのなかに金貨や銀貨の奉納もあったらしい。

リュディアの首都サルディスはエーゲ海地方からアナトリア高原に通じる重要な路線上にあった。

アクロポリスとなる岩山には要塞が建てられ、自然の要害をなしていた。土地は肥沃で、近くを流れる川の沖積層からは金が産出されることでも知られていた。それだけに交易が盛んになる環境に恵まれていた。

市街地は巨大な防御施設に囲まれた下町であり、石上の泥レンガの壁、大きな門が備わっていた。町の北には「千の丘」とよばれる多数の墳墓があり、なかでも王の墓とされる大きな丘陵は、馬に乗って周囲を回るのに一〇分かかるほどだったという。

この都には、ギリシア人が数多く住んでおり、生活慣行や芸術様式などにおいて、ギリシア文化が根深くしみ込んでいた。他方では、オリエントと直接に触れあっていたので、エーゲ海岸のイオニアの人々にメソポタミア伝来の技術、学問、宗教が伝えられている。このような文化接触がくりかえされ、オリエント先進文化の影響を受けながら、このイオニアの地で、自然哲学のような学芸文化が誕生するのである。

ギリシアの壺に描かれた火あぶりにされるクロイソス。前5世紀。ルーヴル美術館蔵

リュディア最後の王であるクロイソスは富と力をもちながら、晩年には傲慢《ごうまん》になり、東方におこったペルシアの勢力を侮《あなど》って、前五四六年、悲惨な敗北を被《こうむ》ったという。繁栄をきわめた勝者からすべてを失った敗者となったことから、悲劇の主人公として名高いが、真相は謎につつまれて

いる。

四国分立時代——④シリア・パレスティナから撤退したエジプト

エジプトは、すでに前二千年紀後半には、シリア・パレスティナ地域にも勢力を伸ばし、これらの地域をみずからの帝国主義的覇権のなかに治めていた。しかし、アッシリア帝国の勢いはエジプトにもおよび、前七世紀にはその帝国領の一部となっている。その後、アッシリアの覇権を斥《しりぞ》けたとはいえ、もはやこれらの地域から撤退せざるをえないほどであり、たんなる弱小国家にすぎなかった。

このように概観すると、アッシリア帝国の終焉《しゅうえん》あるいは滅亡の後、オリエントの中心にあるのは、カルデアを拠点とした新バビロニア王国であった。その覇権下にユダヤ人のバビロン捕囚が起こったとき、このバビロンの繁栄ぶりは、「バビロンの栄華」あるいは「バビロンの退廃」という表現で、われわれには伝えられている。それほどの繁栄を誇り最古のシュメールにもさかのぼる文明であった。だが、アッシリア滅亡後にひとときの繁栄期を経て、やがて消滅してしまうのである。これは、最古の文明としてのメソポタミア文明が終焉を迎えたということでもある。というのは、セム語系のアッシリア人にかわって、それ以後に大きな勢力を築いたのが、アケメネス朝ペルシアであり、印欧語系の人々であったからである。

第三章

寛容の世界帝国ペルシア

イラン、ペルセポリス遺跡の謁見殿東階段

1　キュロス王からダレイオス大王へ

パールサ地方の部族が起源

動物は自然界の食物をとって生活している。そこにあっては、文化らしきものは生まれようもない。だが、人間は壺《つぼ》や容器などの形あるものを造り出した。造形の原理を生み出したことで、人間は自在に生きる道へと飛躍する。

はじめは自然の植物を採集するだけだったのに、今や人間は壺や鉢で食物を保存できることに気づいた。それとともに、植物を栽培して保存することも見出した。穀物を栽培して貯蔵しておけば、生活ははるかに豊かになる。

このように大切な食物を入れる壺、煮るための鍋《なべ》、飲料水の水瓶《みずがめ》を作るということは、人類の歩みからすれば、大いなる一歩である。やがて使えることと美しいことが同時にありうることも発見する。それは独自な容器であることを示すだけではなく、華麗に装飾されて心を動かす作品にもなるのだった。

イラン高原の山々の山麓《さんろく》から谷間にかけての農耕地帯の遺跡から、おびただしい数の土器が発見されている。この地域の初期農耕文化にあっては彩文《さいもん》土器が作製され、前四千年紀前半のころ最盛期を迎えている。やがて前三千年紀後半までの二〇〇〇年もの歳月にわたり、人々は創意工夫をこらしてこの土器芸術に明け暮れたという。

上の2点は、動物の文様などを描いたイラン高原出土の彩文土器。左はバクーン出土、前4千年紀初期、高さ24.4cm。右はエイゲル・ボラーグ出土、前4千年紀、高さ16.5cm。下左は容器を抱える人物像、前2千年紀末期〜前1千年紀初期、マールリーク出土、高さ44.5cm。下右は瘤牛形土器、前1500–前800年、マールリーク出土、高さ19.5cm、イラン国立博物館蔵、『ペルシャ文明展　煌めく7000年の至宝』図録（朝日新聞社、2006年）より

野生の羊、山羊、鹿、豹《ひょう》、水鳥などの動物文様が単純化され、市松《いちまつ》文様や斜格子《しゃこうし》文様などの各種の幾何文様と組み合わされる。これらの作業を自由奔放《ほんぽう》に行い、思いもかけないような洒脱《しゃだつ》な図案が生まれるのだ。それらを仕立て上げる陶工の腕前は並々ならぬものがある。ここにおける創作芸術の活動は卓越《たくえつ》したものがあり、この期の彩文土器の装飾意匠《いしょう》は世界史にあってことさら名高いのである。

前二千年紀になると、黒色あるいは赤色の磨《みが》かれた土器が出てくるが、やがてその末期になると、さまざまな形象土器が出現する。ほとんどが墳墓から出土しており、瘤牛《こぶうし》、羊、鹿、馬、鳥などの形をもつ土器である。加えて、くちばし形の注口つき器などがあり、葬礼において聖水をそそぐ容器の注口器として使われたらしい。

それを明らかにするかのように、イラン西部中央にあるルリスタン地方からはこの種の容器をかかえた祭司《さいし》の土偶《どぐう》形の土器が見つかっている。おそらくアーリア人ともよぶ印欧語系の人々がこのイラン高原に移動してきた時期と重なるものである。

これらのアーリア人は印欧語族の東方語流の言語を使う人々であり、カスピ海の北東方面からイラン高原に移住してきたらしい。それらのなかには、前九世紀半ばまでにザグロス山脈の中央部まで到達した部族もいたという。

前八世紀には、これらの諸部族のなかから合流して団結する大部族集団が生まれ、エクバタナを首都とするメディア王国が形成された。やがて、前七世紀末のアッシリア帝国の崩壊とともに、勢力を伸ばし、イラン東部のかなりの地域を支配下におさめ、西はアナトリア中央部まで征服したらしい。

ところで、最古のシュメール人はともかくとして、メソポタミア文明にはセム語系の要素がしみついていた。その東の端にあるイラン高原に移住してきたのが印欧語系の諸部族であり、それらのなかに、南部のパールサ地方に住む部族がいた。この地名が後のペルシアという名の由来であり、すでに前八世紀末の文書に姿を現している。

アッシリア滅亡後の混乱のなかで、パールサ地方に住むペルシア人はメディア王国のなかの弱小な一勢力でしかなかった。だが、メディア支配下の半世紀足らずのなかで、急激に勢力を広げ、前六世紀半ばにはメディア王国を打倒するまでにいたるのだった。

良き馬と良き人に恵まれる

ギリシアの歴史家ヘロドトスは「世界中でペルシア人ほど外国の風習をとり入れる民族はない」（『歴史』一巻、一三五）と語っている。メディア人の衣装が自国のものより綺麗《きれい》ならそれを着るし、戦争にはエジプト式の胸当てをつけていくともいう。また、それにつづいて、「戦場において勇敢であることについで、多くの子供をもつことが男子の美徳とされる。最大の子福者には毎年国王から贈物を賜《たま》わる。ペルシア人は数の大はすなわち力の大であると考えているからである」（『歴史』一巻、一三六）と述べている。

ペルシア人の異国趣味と子福志向とでもいうべきものだろうか。これらはペルシアが世界帝国にのしあがることと分かちがたく結びついていたのではないだろうか。なにしろ、もともとのペルシア人は中央アジアの香りをただよわせながら、オリエントの先進文明地域に遅れてやって来たのである。しかも、少数民族でありながら、支配者でなければならなかったのである。

いかにしてペルシア人は強力な支配者になりえたのだろうか。中央アジアのステップ地帯には騎馬遊牧民スキタイ人がいた。おそらくペルシア人はスキタイ人から武器や馬具とともに騎兵術を学んでいたにちがいない。それによって軍事技術や情報伝達にかなり習熟していたのではないだろうか。

古代の最良馬としてネサイオン馬があげられることがある。この馬種はメディア地方やアルメニア地方において育成されていた。騎馬軍団をもち強大となったペルシア人にとって、このような馬産地に恵まれた地域はなによりも手に入れたいものであった。まずもってそれらの地域を征服することは急務であっただろう。

そのころからアケメネス朝とよばれる王族がペルシア人に君臨し、やがて帝国とよばれる大勢力になっていく。アケメネス朝の発祥地《はっしょうち》パールサ地方は、ヘロドトスによれば、「良き馬と良き人に恵まれた」地方であった。ペルシア人には、乗馬とともに、弓術、正直の三点だけが、子供の教育の要《かなめ》であったという。やはりギリシア人のクセノフォンは、ペルシア人が馬術をきわめることに並々ならぬ熱意をもっていると伝えている。後代のダレイオス大王は、みずからが優れた騎兵であることに、ことのほか誇りをもっていたらしい。

アケメネス朝始祖・キュロス王の伝説

アケメネス朝の始祖と目されるキュロス二世は後世の人々からも王の理想と讃《たた》えられている。異邦《いほう》人《じん》であるクセノフォンでさえ、統治者としてのキュロスのすばらしさに驚嘆し、その生い立ちと生き方について思いめぐらさざるをえなかった。牧夫《ぼくふ》は家畜をたやすく服従させるのに、人間は支配しよ

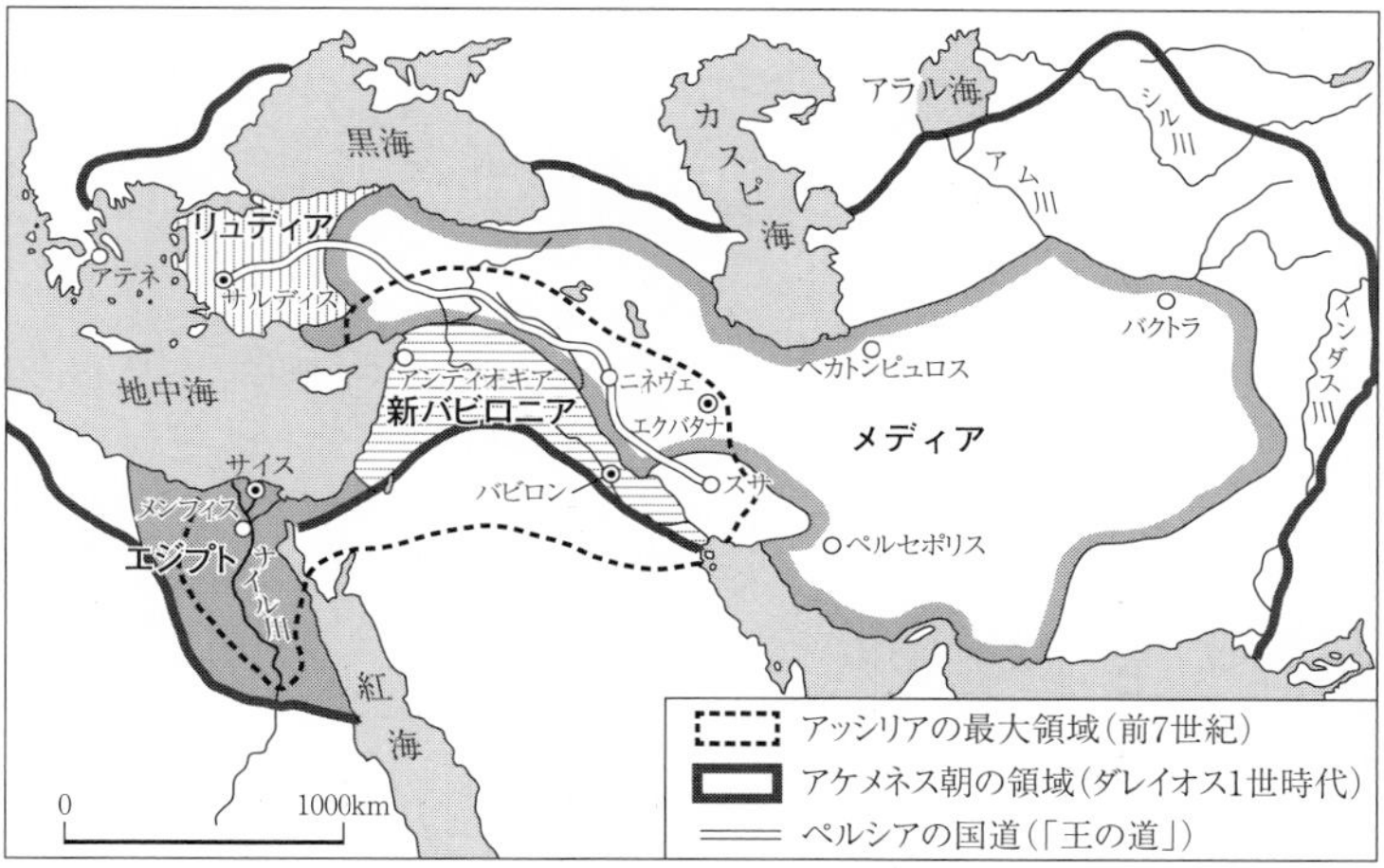

ペルシア帝国と前１千年紀のオリエント世界

うとする者に反抗する。だから、人間にはほかの人間を支配するより動物を支配する方がたやすいことである。だが、とクセノフォンは語る。

ペルシア人にキュロスという人がおり、その人がまことに多くの人間、多くの都城、多くの種族を自分に隷属させたという。このことを心に留めておけば、人間を支配するのに賢明な方法でなされるなら、不可能でも困難でもない、とわれわれは考え直さざるをえないだろう。
（『キュロスの教育』一・三）

旧約聖書にいたっては、バビロンに捕囚されていたユダヤ人がキュロス王によって解放されたので、メシア（救世主）とさえ讃美している。それだけに、王家に生まれながら捨て子にされたという類の伝説も少なくない。

たとえば、ギリシア人ヘロドトスの伝えるメディア王の夢の話がある。王は娘が放尿して全アジアが洪水に襲われるという夢を見たので、娘を遠く離れた属国パールサの王に嫁がせたという。ところが、ふたたびメディア王は夢を見たのだが、この娘の陰部からブドウの樹が生えて、その樹がアジア全土を覆《おお》うという夢だった。恐怖にかられた王は娘の産んだ男児キュロスを殺すように家臣に命じた。だが、家臣は生まれたばかりのキュロスを殺すに忍びなく、思案の末に、ちょうど生まれたばかりの男児を失った羊飼いの夫婦がいたので、その死んだ男児をキュロスと偽って王に差し出したという。

羊飼い夫婦はキュロスを養育し、その後、成長したキュロスは自分の血筋を知り、真の両親のもとに戻って行った。だが、この話はメディア王に伝わり、怒った王は命令に服さなかった家臣の子を殺し、その肉を父たる家臣に食べさせる罰を下したのだった。

長じてパールサ王の後を継いだキュロスはパールサの有力部族を中心に反メディアの戦いをおこす。メディア王の残虐《ざんぎゃく》な仕打ちに恨みをいだいていた家臣の武将がメディア軍を率いて寝返り、パールサ軍に降ったので、キュロス王は大勝利を博《はく》すことになった。やがて、前五五〇年、首都エクバタナに入城し、メディア王国を引き継ぐことになる。

「ペルシアおよびメディアの王」と自称

その後、ギリシア系の諸都市およびクロイソス王の率いるリュディアをも倒し、小アジア全土を征服した。さらに、前五三九年には、新バビロニア軍を撃破して、マルドゥク神の祭司や市民の支援を受けながら、バビロンに無血入城する。それは新バビロニア王国を継承することでもあった。これらのキュロスをめぐる叙述は、ほとんどヘロドトスの記述によるものであるが、夢の話はともかく、おおむね史実に迫っているという。

イラン高原は、地形からして二つの生活圏に分けられる。高原西部の人々はメソポタミアの大河流域に関心があり、その高度文明と結びつくことをのぞんでいた。また、東北部のオアシス農耕民にとっては、なによりもステップ遊牧民の侵攻に対する防衛が気がかりであり、襲撃を避けるためにはステップ地帯に予防遠征をしなければならなかった。

西方世界への進出と東北方世界への遠征という二正面作戦が並び立つ。とてつもない重荷であったが、高原国家として生存していくには欠かせないことだった。それはイラン高原の国家にとって宿命のごときものだった。この地にあって、初めて統一を成し遂げたのはメディア王国である。その課題はこの統一王国のなかにあらかじめ暗示されていたのかもしれない。そのように西アジア史をながめれば、アケメネス朝ペルシアという世界帝国はメディア王国の政治的遺産を相続し、それを実現したものだった。

種族として見ても、メディア人はパールサ出身のペルシア人にもっとも近いものがあり、わずかな方言の差異があるだけでほとんど同じ言語を話していたという。そのため、ペルシア人にとってメディア人は親しみやすかったにちがいない。

ペルシア王は、服属した諸民族のなかでもメディア人をこよなく厚く信任し、帝国内にあってペルシア人に次ぐ高い地位でもてなした。外国人からすればまるで「メディア王」のごとく見えたらしい。ペルシア王みずからも「ペルシアおよびメディアの王」と称することをためらわなかった。だから、この王の帝国は「ペルシア、メディア、および他の国々」とよばれてもいた。

騎馬遊牧民との激闘で戦死

ペルシア帝国の西方への関心は、メディア王国につづいて新バビロニア王国も支配下におさめたことで、めざましい成果をみせた。ほどなくキュロス王は北東方面に目を注ぐようになる。遠征軍はイラン高原東部と中央アジアに進み、広大な領土を併合《へいごう》した。これらの地域には遊牧民が暮らしており、食物や牧草地を求めて住居を移動しながら生活する人々であった。彼らの暮らしぶりは西方世界の都市化された生活とはまったく異なるものだった。

キュロス王は、支配下にある諸民族や諸文化に対して寛容であり、しばしば理想的な王として描かれることがある。新しく服属した人々の固有の制度や習俗は尊重されたという。このために多種多様な種族や民族からなる帝国ができあがったが、それとともに、服属民に国家への忠誠心を要求する帝国であった。これはペルシア以前にはなかったことだったという。キュロスは属州に租税と忠誠心のほかには、ほとんど何も求めなかった。

キュロスの統治はひとまず成功をおさめたが、その背景にはペルシア支配下の地が天然資源に恵まれていたことがある。とりわけ鉄鉱石がふんだんに産出され、高地では騎馬用の馬が数多く放牧されていた。

とはいえ、じっさいのところ、キュロス自身は戦いに明け暮れる日々だったらしい。各地の対抗勢力を打ち破ることに治世の大半がついやされたのである。王として軍団の先陣をきることもあったであろう。

武将としてのキュロス王の有能さは伝えられている言葉からもしのばれる。

「簡潔は司令の命である。多弁は司令官の絶望を物語っているにすぎない」（『キュロスの教育』）

兵士たちは差し迫った臨戦態勢にあったのだから、彼らを率いる者の心構えについて、実に適切な名言ではないだろうか。人の心を動かすためには、まずもってわかりやすい言葉で伝えることが肝要なのだ。

しかしながら、そのキュロスにしても戦場での悲運はまぬがれなかった。遠征して騎馬遊牧民マッサゲタイ人と激闘するなかで、ついには戦死してしまう。ヘロドトスはこのときキュロスの首は復讐に燃える敵の手で切り取られたと伝えている。だが、二〇〇年後にキュロス王の墓を訪れたというアレクサンドロス大王はその遺体を見たというが、遺体の損傷についてはふれていない。

キュロスの長子カンビュセスの帝国拡大

キュロス王の戦死は、ペルシアの覇権を揺り動かすことはなかった。それだけ王の統治への反感も少なかったのであろう。長子カンビュセスの王位継承にはなんらの混乱もおこらなかった。

カンビュセスは王子として摂政であったが、そのころから西方の遠征にあって精力的に活動していた。王位につくと、帝国領土を西方にさらに拡張し、キプロス島を制圧し、前五二五年には父王の計画でも準備されていた大軍を率いてエジプトに侵入した。そのころエジプトにはアッシリアの残党の子孫が居住していたので、この襲撃によってエジプトは名実ともにペルシア帝国に併合されたことになる。

カンビュセスはエジプト王にもなり、三年後に没するまでこの地に滞在したという。この期間に、遠征軍は南方のヌビアにも派遣され、西方へはリビア砂漠や北アフリカ沿岸地にもおよんだ。ヌビアは後に帝国に併合されたが、西方への遠征は失敗したらしい。このころ、ペルシア国内でたびたび反乱がおこり、とりわけバビロンの反乱には、カンビュセス王がその鎮圧にあたったが、帰国の途上で逝去した。

ヘロドトスによれば、カンビュセス王は理性に欠ける極悪非道《ごくあくひどう》な男であったという。たとえば、エジプト遠征中のメンフィスで、とつぜん聖牛アピスに飛びかかり、これを剣で殺してしまった。聖牛をあがめるエジプト人には胸をえぐられる想いだったにちがいない。

だが、その聖牛アピスの埋葬所が発掘されると、そのときに死んだはずの遺体には刺殺された跡はなく、今日では自然死と判断されている。しかも、その聖牛の死骸を納めた棺《ひつぎ》はカンビュセス王が寄進したこともわかっている。むしろ、キュロス王の後継者として、カンビュセス王は異国や異民族の伝統や宗教を尊重したとの人物評があり、近年の学者はそのように推定している。

印欧語系の異邦人の王がエジプトに君臨したことから、土着の先住民から反感をかっていたらしい。じっさい、エジプトの神殿に課税したことは祭司たちの嫌悪するところだった。上述した聖牛を刺殺したという伝説もそのような雰囲気のなかで作られていったにちがいない。数十年後にエジプトを旅したギリシア人ヘロドトスは、そのような雰囲気の名残を敏感に嗅ぎとっていたのかもしれない。

断崖に刻まれた大王ダレイオスの弁明

カンビュセスの死後、バビロンで反乱がおこる。反徒の指導者ガウマータはカンビュセスの弟を自称していたという。実弟はすでに殺されていたらしい。この反乱を鎮圧する形でダレイオスが登場する。彼の即位をめぐる伝承はひどく錯綜《さくそう》しているという。だが、バビロンとエクバタナを結ぶ幹線道路沿いにあるビストゥーンには、高い岩山の断崖に刻まれた碑文が残っている。そこには彼自身の言葉で語られている。

王ダレイオスは告げる、祭司ガウマータがカンビュセスから奪ったこの王国は起源以来われらが一門のものであった。やがて祭司ガウマータが、ペルシア、メディアをはじめ他の諸国をも奪い、独占し、みずからの領土となして、王となった。

王ダレイオスは告げる、この王国を祭司ガウマータから奪回しえる者は、ペルシアにも、メディアにも、われらが一門にも、誰ひとりとして存しなかった。民は彼をひどく恐れた。バルディアをかつて知っていた民を、彼は多く殺害していた。彼が民を殺害したのは、〝自分がキュロスの息子バルディアでないことを知らせてはならぬ！〟という理由からである。

余が登場するまで、祭司ガウマータについて、あえて何事も口にせんとする者はいなかった。そこで余はアフラマズダ神に祈願し、アフラマズダ神は余に助けを賜《たまわ》ったのである。

こうしてバガヤディの月の十日に、余は少数の者とともに、祭司ガウマータ、ならびにその主たる側近の者どもを殺害した。メディアのニサーヤ地方のシカヤウヴァティという城砦《じょうさい》にて、余は彼を殺害した。アフラマズダ神の御力により、余は彼から王国を奪い返し、王になった。アフラマズダ神が余に王国を授けたもうたのである。

王ダレイオスは告げる！　以下が、バルディアと名乗る祭司ガウマータを余が殺害したその時まで、現場にいた者どもである。彼らはその時、余の同志として手を貸してくれた。ペルシア人ヴァヤスパラの息子インタフェルネス、ペルシア人テュクスネの息子オタネス、ペルシア人マル

ダレイオスが刻ませたビストゥーンの碑文（写真下）は、高さ90mの絶壁にある（写真上の中央やや上）

ドニオスの息子ゴブリュアス、ペルシア人バガビニャの息子ヒュダルネス、ペルシア人ダトゥヴァフヤの息子メガビュゾス、ペルシア人オコスの息子アルデュマニ。

王ダレイオスは告げる！　将来王となるなんじは、これらの者どもの一門の世話をよくするべし。（小川英雄監訳）

ここには統治者となったダレイオスの意図するところがひそんでいる。いわば新王たる自分自身の弁明であるのだ。ヘロドトスによれば、カンビュセス王の弟バルディアを殺したのは王自身であったという。人気のある弟を恐れてひそかに殺させたのだが、このことは誰にも知られていなかったらしい。

叛意をいだく者を糾合

このように、異邦人ヘロドトスをはじめとする数多くの伝承があり、それらの異同もさまざまである。事件の動機や背後関係をめぐる実態はともかく、出来事は大まかには次のようであったらしい。

カンビュセス王の弟バルディアがひそかに殺された後、王はエジプト遠征に出かけた。秘密を知った祭司ガウマータはバルディアを僭称《せんしょう》して王位就任を宣言した。やがて真相に気づいたダレイオスは六人の同志とともに祭司ガウマータを襲撃して殺害し、みずから王位についた。このとき、すでに遠征中のカンビュセスは死んでいた。

事の真相はもっと複雑かもしれない。たとえば、カンビュセス王の死後、弟のバルディアが即位した。それに不満をもつダレイオス一派はバルディア殺害に成功する。だが王家の血筋を継ぐ者を殺したのでは都合が悪いことはなはだしい。そこで、バルディアはすでに殺害され、祭司ガウマータがバルディアになりすましていたのだ、と弁明したのである。

いずれにしろ、その背景には王権への不満が高まっていたことがあるだろう。キュロス、カンビュセスとつづく四〇年足らずの間に、ペルシアの軍事行動は広がるばかりだった。かつては服属民に軍役と貢納の義務を守らせるだけでよかった。そこにはペルシア王を盟主とする王侯たちの連盟があったにすぎない。

だが、支配領域が拡大するとともに、王権の卓越する姿が誰の目にも明らかになってきた。とくに抜きんでた専制王権の伝統をもつバビロニアを征服したことは、まだ安定したとは言いがたいペルシア帝国にとって、大きな転換点であった。ペルシア貴族の間では圧迫された人々もいたにちがいない。彼らのなかには叛意《はんい》をいだく者も少なくなかった。それらを糾合《きゅうごう》したのがダレイオスであったことになる。

ところで、ダレイオスはキュロス王の直系の血筋ではないが、同族の家に生まれたらしい。カンビュセスの槍持ちとして従軍したというが、これは王にきわめて近い人物のみが就《つ》く職であり、高い地位にあった。

とはいえ、直系の後継者でなかったのだから、ダレイオスが王位についてもそれを快く思う人々ばかりではなかった。対立勢力の駆け引きは同じようにくりかえされ、社会生活が穏やかになることはなかった。とどのつまり、誰が即位するにしろ、同じ問題に直面しなければならなかったのである。王になる者があるならば、ペルシア人同胞の目にことさら厳しくさらされ、彼らに信任されなければならなかった。

先のビストゥーン碑文からも明らかだが、ダレイオスは同志であるペルシア貴族には一目おいている。彼は「ソグディアナのかなたのサカからエチオピアまで、インダスからサルディスまで」を版図とする帝国の「大王、諸王の王、ペルシアの王、諸国の王」であった。それにもかかわらず、ペルシア人同胞にはことさら配慮を怠ってはいない。貴族のみならず民衆にも心を配りながら、ペルシア人同胞を優遇するのはいうまでもないことだった。支配民族としてのペルシア人には免税の特権があたえられる。

しかし、それだけでは足りないのである。大帝国の大王であるには、周囲をとりまくペルシア人同胞のなかでひときわ卓越しなければならないのだ。それには、ペルシア人以外の諸民族から王権が熱心にあがめられること、それが肝要なのである。

二十余州に総督を任命、民族ごとに年貢を

王が大王とよばれるほどのものになるには、眩《まばゆ》いほどの王権が地上のすべてをつつみこむかのようにきわだつことである。ただたんに軍事活動で征服地を広げ覇権を生き生きとさせるだけではすまない。なによりもそれらの征服地に安定した行政機構をそなえる秩序が根をおろさなければならない。

ヘロドトスによれば、「ダレイオスはペルシア帝国に二十余りの州（行政区）を制定し、それぞれにサトラプ（総督）を任命した後、民族毎《ごと》にその年貢を定めた」（『歴史』三・八九）のである。サトラプは州内の軍民両権を握っており、徴税の最終責任者であった。また、帝国共通の銀貨の鋳造権も認

ペルセポリスの謁見殿に描かれた羊の貢納

められていたという。

ダレイオスにすれば、諸民族をゆるやかに支配するつもりだったかもしれない。その内容は、王宮のひとつがあるペルセポリスの謁見殿《えっけんでん》に刻まれた貢納行列の浮き彫りからもうかがわれる。そこにはそれぞれの民族衣装を着た代表がさまざまな自国の特産物をたずさえて参上する様が描かれている。

たとえば、バビロニア人はヒトコブラクダと布地と杯を、騎馬遊牧民のサカ人は種馬と布地と装身具を献上した。また、エジプト人も、リュディア人も、パルティア人も、アルメニア人もあり、さらには、バクトリア人、ガンダーラ人、インド人さえも、それぞれの特産物を献上したのである。

もちろんそこに描かれた貢納行列はじっさいの年貢量にすれば、ほんのさわりのものにすぎない。なにしろ、ペルシア帝国支配下には五〇〇〇万人の住民がいたという。そのなかでペルシア人だけが免税にあずかったのだから、莫大な収入があったはずだ。たとえば、アナトリア半島の東南部にあるキリキア地方について、ヘロドトスはこう語っている。

キリキア人からは、一日一頭の割で三百六十頭の白馬、および銀五百タラントンが納められた。この内百四十タラントンはキリキア地方を防衛する騎兵部隊の費用に宛てられ、残りの三百

六十タラントンがダレイオスの許へ届くのである。これが第四徴税区である。（『歴史』三巻、九〇）

一タラントンは重量の単位であり、地域によって異なるが、アテナイを中心とするアッティカ地方では約二六キログラムという。キリキア人の納める銀五〇〇タラントンはおよそ一万三〇〇〇キログラムの銀貨（銀塊）だったのだから、とてつもなく莫大な貢納品であった。

ところで、このような年貢の徴収が王宮側の要求した額のなかに収まっていれば、それほど不満は生じない。それはダレイオス大王がめざすゆるやかな支配であった。だが、現実には、それらの要求額をはるかに超えて徴収されることがある。というのも、総督のなかには多大な年貢を徴収し、私腹を肥やす輩《やから》も少なくなかったからである。ときおり各地でおこる反乱の裏には、このような過大な負担に対する民衆の敵意がひそんでいる。

「王の目」で監視、「王の耳」で密偵暗躍

一定の貢納、賦役《ふえき》と軍役、それだけが被征服民に課された義務であった。それさえ果たせば、彼らの文化も、慣習も、言語も、宗教も、なにも制限されるものではなかった。要するに、世界帝国として君臨しても、服属する人々にはできるだけ寛容な態度で臨むと言いたいのである。

たとえば、キュロス王の時代にバビロン捕囚から解放されたユダヤ人に注目してみよう。ユダヤ人はキュロス王の許可でイェルサレムにヤハウェ神殿を再建していた。ところが、神殿造営は大規模で工事は遅々《ちち》として進まず、そのせいか近隣の諸民族はなにやら不信感をいだき、不安がつのるばかり

だった。そのため王直属の知事が視察に来ることになる。神殿造営許可の確認をめぐって、ユダヤ人側はキュロス王の勅令《ちょくれい》を提示できなかった。あわや工事も中止かというとき、王宮の記録所で勅令の写しが発見されたという。ダレイオス大王は「知事とその同僚たち」に神殿再建を続行するように命じたばかりか、銀と資材を授けてユダヤ人を激励したのである。

このような王の寛容な措置がある場合も少なくない。だが、徴税となると、地方行政区ではそのおりに実施されるとはかぎらないのだ。

年貢を不当に徴収したりして、地方行政が重くのしかかることがあれば、民衆は必ず帝国支配に反感をいだくだろう。だから、地方行政が悪政におちいらないようにするためには、たえず監察しなければならない。そこで帝国各地に王直属の監視官が派遣され、「王の目」として全権をあたえられていた。自分勝手で傲慢《ごうまん》なふるまいをする総督がいるなら、節度をもつように警告する。国家税収、住民警護、土地耕作をなおざりにし、王の命令を無視する総督があれば、すべてを元に戻させ、公正な秩序を保たせるのである。そのような指示に従わない場合には、監視官はそのことを王に報告することになる。

このような監視制度があっても、目のいきとどかないところもある。そこで、「王の耳」とよばれる密偵が暗躍する。彼らは、属州民の不平不満や不穏な動きを察知するだけでなく、総督のみならず監視官の行動にも耳をとぎすますのである。というのも、監視官と総督とが手を結んで不正をなすこともありえないことではなかったからだ。いずれにしろ地方行政にも十分に目くばりしたものであり、過重な税負担が属州民を苦しめないようにする配慮であった。

2　パクス・ペルシアーナ

王権を誇示する絢爛たる饗宴

ところで、ペルセポリスはペルシア帝国の首都として知られている。この都はペルシア人の故地パールサ地方の中心部にあるが、意外にも、何のために建設されたのかは、未だにはっきりしない。たしかに、王宮の建設はダレイオス一世によって着手され、主要な建造物は、この大王と次のクセルクセス一世の治世に完成されたという。

だが、そもそも行政の中心はスサかエクバタナに置かれていたので、別の目的で造営されたらしい。新年祭を行うための聖都ともされるが、遺跡から王宮の経済に関する財政文書が出土するところから、王室経済の管理を統括していたとも見なされることもある。王室経済はほとんど国家財政と同義であったから、王宮は国家そのものを象徴していたと見なしても大げさではないだろう。それだけに、ギリシア人のような外来者は、王宮の華美をつくした装飾の豊かさに感嘆の声をあげざるをえなかったという。

このペルセポリスの王宮建設にあっては、帝国全土から召集された職人が働いている。シリアからもエジプトからもイオニアからもカリアからも、石切り工、木工、彫刻師、金細工師などの熟練職人が集められている。彼らは建設工事現場で働くだけではなく、都市の工場で羊皮紙や織物などの作業

ペルセポリスの想像鳥瞰図。Ch.Chipiezによる彫版

に従事することもあったらしい。さらには、王宮の判断で、帝国の各地を転々として働かされることもあったという。

　王宮の外観とともに、王宮の内をのぞけば、とてつもなく豪華《ごうか》絢爛《けんらん》たる絵巻がくりひろげられていたという。もちろん、王宮はペルセポリスだけにあったわけではなく、スサにもバビロンにもエクバタナにもあった。

　これらの王宮では、側近はもとより、高級官吏や外国使節などが謁見《えっけん》に参上する。それらの謁見は、一万人を収容する建物で開催されたという。ペルシア王の御前にお目みえするというのはまばゆいほどの名誉であった。数ヵ月を待ってやっと王の御前に出ることができたのである。彼らはある種の形式をそなえた礼儀作法に従って謁見することになる。上半身を屈《かが》めて平伏し、王にむかって投げキスをする。王は威風《いふう》堂々《どうどう》たる態度でのぞみ、儀式の壮麗さは目をみはるものであったという。

　ひとたび宴会となると、王宮の食卓には、総計一万五〇〇〇人分の食事が用意されることもある。金銀の食器が並び、贅を尽くした料理が運ばれてくる。王が食事する場所は仕切られており、会食者には王の姿は見えないが、王には宴会の様子が見えるしくみになっていた。さらに、招待者には食糧

ペルセポリスの謁見殿、東階段正面の「槍を持った衛兵」

や食器などのおみやげが配られるのである。

このような絢爛たる饗宴《きょうえん》は王権を誇示するためであり、また、王の富を再分配する機会でもあった。これらの機会にあずかることは、たいそう名誉なことであったという。しかしながら、過剰な奢侈《しゃし》はギリシア人ヘロドトスのような外来者の目には「ペルシア人の頽廃《たいはい》」という決まり文句でくりかえされることになる。

ギリシア人が妬ましく思う贅沢

もちろん、王侯貴族の事例しか挙げられないが、外来者の見るところでは、為政者となるような人物は宮廷で教育され、妻・妾・宦官《かんがん》たちとしか生活していなかったという。勇敢な男たちから何の指針も得られず、目にあまる奢侈のなかで教育されるせいで、軟弱な性格をもつ高位の者が出てくるのだ。

もっとも、キュロス王やダレイオス大王の治世には、すぐれた人材がいなかったわけではない。ペルシア人のなかには頭がよくてすぐれた意見を述べる者もおり、彼らの知力を万人の利益のために活かしてやる王もいた。その時代には、自由、友愛、協力があふれており、それらを通じて万事が進展したという。

いささか過去を美化しがちな誇張があるかもしれないが、「今」のペルシア人は快楽しか関心のない「堕落したペルシア人」の姿でしか思い浮かばないかのようである。

王の側近のなかには、女の衣装や装身具を身につけていた者もいたらしい。ペルシア人と戦ったスパルタの武将は、捕虜にしたペルシア人を裸にして奴隷市場に送りこめ、と命じている。「こいつらの肌は一度も衣服を脱いだことがないので、真っ白いし、その肉体といえば、いつも戦車で移動するだけだから、柔らかくてぶよぶよしている。兵士たちはそれを見て、この戦争はまるで女たちを相手にする闘いだと思った」（プルタルコス『アゲシラオス伝』）という。

なるほど、贅沢に慣れたペルシアの上層民が、堅実なギリシア人の目には、異様に映ったことは想像できる。ギリシア人はそもそも豊かにめぐまれた土地に住んでいるわけではない。そのギリシアで生活する人々には、豊かな富を集積するペルシア帝国の人々が妬《ねた》ましくもあり、異邦人を疎《うと》ましく思い浮かべる情感がにじみ出たのかもしれない。

しかし、ありふれた民衆でしかない庶民階層の人々が、このような贅沢にひたっていたとは思えない。わずかしか知ることのできないペルシア人の庶民について、たまたまヘロドトスが語っているのは貴重である。

ペルシアではどの日よりも、自分の誕生日を一番大切にする習慣がある。そしてこの日には、ほかの日よりも沢山の食事を出すのが当然であると考えている。誕生日には金持は牛、馬、駱《らく》駝《だ》、騾《ら》馬《ば》などをオーブンで丸焼きにして馳走に供するが、貧しい者は小さい家畜を使う。ペルシア人は主食は僅《わず》かしかとらないが、デザートはたっぷり、しかも一どきでなく次から次へとでる。ペルシア人がギリシア人は食事を終えてからも腹を空かしているというのはそのためで、ギリシアでは主な食事がすんでから、これはという程のものは何も出ないからいけない、もし出ればギリシア人でも食べやめないだろう、というのである。(『歴史』一巻、一三三)

なかなか考えさせられる言及である。ギリシアの貧しい庶民なら主な食事がすめば何も口にすることはない。ところが、ペルシア人なら庶民でもデザート系の食物をたっぷり口にするというのだ。ここには、それぞれの民には嗜《し》好《こう》があると言ってすませられることではないだろう。「もし出ればギリシア人でも食べやめないだろう」とは、なんともふくむところがある。たんなる日々の慣習の違いではなく、生活の豊かさに差異があることが暗示されているのではないだろうか。そうとすれば、「ペルシア人の堕落」には、ギリシア人側からの非難や告発というよりも妬ましい気持ちがあり、そこには生活レヴェルの差があったことになる。

王宮周囲に農民が定住し豊かな収穫物を

ペルシア帝国のなかには、多種多彩な地域があったので、それらの地形や風土に応じてさまざまな変異がある。それらを念頭におきながら、また、文書記録の残り具合もあるので、いくつかの地域について特徴をつかんでおきたい。

なにはともあれ、帝国の政治活動や軍事活動の中心をなしたのはペルシアの故地であった。これらの活動の核となる部分がペルシア人の手中に握られていたのは言うまでもない。そこはイラン高原の南西地方にある山地が連なる土地であり、青草の茂る渓谷《けいこく》と平原にも恵まれていた。

前一千年紀初め、その地にペルシア人が移住してきたとき、ほとんど先住の土着民はいなかったらしい。だからといって、当初、ペルシア人はその地に農耕民として定住することはなかったし、あくまで牧畜民として生活し、季節に応じて移動していた。そのせいで、考古学上の遺物がほとんど残されていない。

このような生活風景だったのだが、キュロス王とダレイオス王の治世頃から劇的な変化が見られるようになった。キュロス王はパサルガダエにペルシア軍の野営地を設け、王宮を建設した。また、その南西数十キロメートルの地に、ダレイオス王はペルセポリスを建設し、そこにはアパダーナ（謁見の間）や百柱の間などを備えた大建造物がひしめいていた。このペルセポリスには、帝国の富と諸地域の技術が注ぎこまれた豪華絢爛たる世界が出現したのだ。

このような王宮の周囲には、数多くの農民が定住し、農耕所領地に彩られた豊かな田園地が広がっていた。ペルシア人の貴族にとって、そこにある田畑、果樹園、庭園、狩猟地は大いなる恵みをもたらすものだった。王宮近辺の土地では、地元あるいは移住してきた農夫、森林労働者あるいは他の労働者たちが働けるように、国家はたゆまず配慮していたらしい。灌漑用の運河が掘られ、水路のある草原では果樹の種まきを怠ることはなかったという。ペルセポリスに残る文書記録によれば、五つの所領地に六一六六本の樹木があり、主としてリンゴやナシが生《な》り、他にも果物ができたという。これらの所領地はギリシア人の羨望《せんぼう》の的であったらしい。前述したペルシア人の庶民生活にあってデザートが豊富に添えられたという背景には、ペルシア人貴族の農耕地での実り豊かな農産物の風景があったのかもしれない。

これに比べると、国家の軍営地の周辺にある農地では、その地方独特なところがあり、軍陣を中心に農産物が収集され、さらに分配されていたらしい。穀物類、果物類、ワイン、ビール、あるいは家畜や家禽《かきん》などが産物だった。国家にとって、これらの農産物はとりわけ重要であり、割当制度を用いて、役人たちや農夫たちに食糧が配分されていた。

これらを記録した文書は、常々、軍営地からペルセポリスに送られていたという。国家財政の記録によれば、貴重な品々も扱われており、たとえば職人たちに銀で支払う場合の許可書の類もふくまれていた。これらの職人たちのなかには、エジプト、バビロニア、バクトリア、イオニアなどの外人あるいは異邦人も数多くいたという。帝国行政がペルシア故地にことさら配慮していたことがわかる。かなり中央集権化された行政組織を備えつつ、かつての牧畜の田舎が農耕地に恵まれた繁栄した地域になっていたのだ。そこでは、村民、町民、市民となる住民たちは十分な生活の糧を享受することができたらしい。

土地を兵士や職人に与え奉仕させる

ペルシア帝国に併合されたバビロニアは、その地なりに古来の王国の伝統に支えられていた。とりわけ、栄えあるバビロンのような大都市の住民は豊かな農耕地域からの農産物に恵まれていた。そこでは、経済生活はよく組織されており、繁栄していたらしい。そうであれば、そこから中央にある帝国政府が果実を吸いとろうとするのは自然の成り行きだった。

このために、多くの土地が没収され、それらの土地が地元の官吏のみならず、他の地域の貴族たちに報酬として与えられることもあった。たとえば、前五世紀後半のエジプトの属州知事にいくつかの所領地が賦与《ふよ》された例がある。このような恵まれた者たちは、一種の不在地主になるのだ。

とはいえ、例外的な貴族だけが土地の恩恵にあずかったわけではない。かなり多くの人々が農耕地の所有を認められ、それと引き換えに国家への奉仕、とりわけ軍役奉仕に務めることになる。これらの所領地は国家奉仕の種類ごとに区分され、それぞれが忠実な国家官吏の手で管理されていたという。たとえば、弓兵たち、戦車御者《ぎょしゃ》たち、騎馬兵たちには、それぞれにふさわしい土地があたえられ、さらに熟練工たちには職人のための畑地があり、農耕地管理人や行政官にはそれぞれに相応の所領地があった。それらの所領地について、売買の自由はなかったが、自分の土地をどう活用するかは自由だったらしい。所有者の多くは自分の田畑で働くというよりも、借地した農民に働いてもらうというのが通常だった。

ペルシアの故地では何事にも王権の息がかかっていたが、バビロニアでは私人の事業家が家族農園で活動していたという。前五世紀後半の粘土板文書の記録によれば、ムラシュ家とよばれる商人の大家族があり、徴税請負《ちょうぜいうけおい》をおこなっていたらしい。そればかりか、傑出した人物や小地主の所領地を監督して経営していたという。彼らは農夫を探し、謝礼を集め、必要なら貸付金を渡し、農産物を銀に換えたりする。バビロニアでは、古来、事業家が信用貸しをしていたので、農夫たちは通例これらの事業家に恩義を負っていたのだ。このような慣例をペルシアの王権は廃止しなかったのかもしれない。いずれにしても、私人の事業家はバビロニア経済の管理活動にとって決定的な役割を果たしており、結果として繁栄したのだった。

ペルシア帝国と地方の有力者との関係は、必ずしも順調に進んでいたわけではない。ときには深刻な危機が訪れ、反乱がおこることもあった。だが、反乱があれば鎮圧の軍隊が派遣される。これらの反乱が重なれば重なるほど、ますます帝国権力の介入は避けられないものになっていくのだった。

祖国帰還を許されたユダヤ人

ところで、バビロニアに捕囚されていたユダヤ人は、ペルシア帝国のキュロス王の治世に、祖国に帰ってイェルサレムに神殿を築くことを認められている。ユダヤの地は台地にある小規模な地方であり、周囲はほかの諸属州に囲まれていた。

西方には地中海沿岸部があり、そこにはいくつも港があったので、フェニキア人にはその沿岸部一帯を取り仕切る権利が与えられていた。沿岸に港があれば、海上交易は盛んになるばかりか、西方のギリシア本土や地中海の島々あるいは南方のエジプトへの軍事活動にも決定的に役立つことになる。

それに比べて、内陸部はペルシア人にとってもそれほど関心を引くことではなく、新バビロニア時代にもなおざりにされていた。ユダヤ人の地はまだ住民も少なく、首都イェルサレムは前六世紀初めに略奪され、住民の多くはバビロニアに強制移住させられていた。

旧約聖書によれば、ユダヤ人の祖国帰還には三つの大波があったらしい。キュロス王の時代、ダレイオス王の治世、さらに前五世紀半ばのイェルサレム神殿の再建期といわれる。

そもそもアケメネス朝はオリエント全域を征服し、諸民族には父祖の慣習と儀礼に則った生活を認めている。この寛容な政策は古代にあっては画期的であった。ユダヤ人も例外ではなく、イェルサレムに帰還して神殿を再建することが許された。このために、彼らのなかには、キュロス王をメシア（救世主）と見なす人々もいたほどだった。バビロニアの地に捕囚されていた民が帰還し、ダビデ家の総督の指揮下でイェルサレム神殿の再建に着手する。

しかしながら、前五三八年、最初の一団が祖国帰還の途についたにしても、捕囚民の大多数はバビロニアに留まったという。実のところ、半世紀以上にわたってひたすら築き上げた生活を捨て、不確かな祖国への帰還にためらいがあったとしても奇妙ではない。これらの人々が後に世界中に離散（ディアスポラ）するユダヤ人の原型をなしていたとも言われる。

ペルシア帝国の覇権下にあったユダヤ人は、独自の国家という形をとることはできなかった。そのために、自分たちにふさわしい生活形態を工夫せざるをえなかったのだ。それが「一人の大祭司の下での祭儀共同体」であった。このような祭儀共同体が教団としての秩序を整えていくには、なお一世紀以上の歳月を経なければならなかった。総督ネヘミヤや祭司エズラの時代になってユダヤ教団の姿が鮮明になるという。

このような聖書の記述がどれほど史実に従って正確なのか、そこには不明な部分も少なくない。考古学調査の示唆するところでは、ユダヤ人の人口はそれほど多くはなく、豪華な墓もなく、財宝奢侈品をしのばせるものもないらしい。住民の多くは村落や農場で暮らしていたにすぎなかった。

前五世紀末、エジプトがペルシア帝国の手の内から独立することもあるが、そのせいか、帝国の南端辺において防備がますます強化されるようになったという。そのような周辺地域が揺れ動く雰囲気のなかで、おそらくユダヤ人の共同体が出現し、内部において結束を固めていったにちがいない。

幹線道路「王の道」の整備

残された史料をながめれば、ペルシアの故地、バビロニア、ユダヤの三つの地域については、わかりやすい。ペルシアの故地では、恩賞《おんしょう》としての土地を与えられた貴族は軍役に奉仕する体制が踏襲され、彼らの所領地では各地から集まった農耕民や労働者が働いていたという。バビロニアでは、私人を媒介人とする慣習がつづき、そのことが当然な活動と見なされている。ユダヤ人の地では、遅ればせながら、その地の統率者の手で中央集権が組織化されたらしい。

このようにして見れば、ペルシア帝国があたかも「自由放任」であったかのようである。だが、ペルシア人は国力を増大し、その土台となる基幹施設を充実させることを切望していた。そのために灌漑網を整備し、イラン高原やエジプトの砂漠で農耕できるようにすることが急務だった。さらに、広大な領域を支配する帝国であれば、まずは商業交易が活発になされる環境が必要だった。それには、運河も掘られなければならないが、とりわけ誰もが願ったのは幹線道路の構築だった。

ナイルからインダスまで広大な世界帝国がつくられるのである。なによりも中央と地方を結びあわせる交通手段を整備することだった。軍隊のすみやかな移動のみならず、情報の迅速な収集は、治安維持を願う為政者の肩に重くのしかかっていた。

たしかに、中央の権力闘争が混乱したせいで、地方で反乱がおこり、即位直後のダレイオスはその鎮圧に忙殺されたことがある。その苦い経験からして、ペルシア帝国の大王たる者であれば、事の重大さに誰よりも気づいていたにちがいない。そのためには、幹線道路が敷設され、すみやかな軍事活動がなされ、諸地域間での情報通信網が結ばれることが望ましいのだ。

それらのなかでも、有名なのは「王の道」とよばれる幹線道路である（一四五頁地図）。とりわけ、小アジア西端のサルディスからペルシア湾に近い帝都スサまでの道路は名高い。そこには駅伝制が設けられ、徒歩なら一一一日かかった行程を早馬で一週間あれば行くことができるようになった。宿駅ごとに宿泊施設があり、食糧と馬糧を給する穀物倉庫および駅馬や厩舎《きゅうしゃ》も備わっていた。また、要所には関門や衛兵《えいへい》所があり、街道の警戒は厳重をきわめ、治安はよかったという。同じような幹線道路は帝都スサと帝都ペルセポリスの間にも敷設されていた。ここには少なくとも一〇の宿駅があったことが確認されている。

夜であれ昼であれ、命令は実行される

この時期の街道宿駅では食糧・馬糧が受給されていたという。そのシステムについて、ペルセポリス出土の城砦《じょうさい》文書（前五〇〇年前後）が残っており、支配下にいた民が使うエラム語の楔形《くさびがた》文字による粘土板の記録に、はなはだ興味深いものがある。

「小麦粉三バル、イシュバラミシュティマが受け取り、それをインド人アバテマに与えた。ダレイオス一世治世の第二三年第一月。」

「小麦粉一〇バル、イシュバラミシュティマが受け取り、それをインド人アバテマに王室食糧支給として与えた。イシュバラミシュティマは王室所属ガイドとして同行した。第二三年第一月。」

「小麦粉一一バル、アバテマが受け取った。アバテマ自身は王室食糧支給として一日七バル、成人男性二〇名が各二カを受け取った。アバテマは王の旅行証明書を携行していた。彼らはインドからスサに向かった。第二三年第二月。イシュバラミシュティマが彼の王室所属ガイドである。イシュバラミシュティマの印章がこの粘土板に用いられた。」

「ぶどう酒三マリシュ、パルサウカが支給し、アバテマが王室食糧支給として受け取った。アバテマはスサからインドに向かった。第二三年第三月。」

「ぶどう酒七マリシュ、ウシャヤが支給し、王室所属ガイドであるイシュバラミシュティマが受け取り、インド人アバテマに与えた。第二三年第二月。」

「大麦八・七バル、バルシィヤティィシュが支給し、ミラマナが受け取った。ウマ一九頭が各三カ、ラバ一五頭が各カ――これらはすべてアバテマの厩舎にいた――、消費した。第二三年第三月。」

「大麦一七・四バル、ミラマナが王室食糧支給として受け取り、アバテマのウマに二日間の王室食糧支給として与えた。彼は王の旅行証明書を携行していた。ウマ一九頭が各三カを受け取った。ラバ一五頭が各二カを受け取った。

第二三年第二月。」（川瀬豊子訳　一部改変）

あえて言えば、領収書、請求書、会計簿の類であるが、ありふれたこれらの記録を検討してみると、行政当局と実務担当者の生活実態が浮かび上がってくる。アケメネス朝の治下では、首都スサと地方都市を結ぶ幹線道路が敷設され、宿駅制度や騎馬急使の制度が整備されていた。公務旅行者には王や高官の発行する証明書が付与され、宿駅では食糧・馬糧を無料で受け取ることができたのである。さらに、ときには、旅の安全と便宜のために、現地の地理や言語に詳しい公認のガイドが同行することもあった。

このような道路・通信網の拡充のために、すべて時がゆるやかに流れていた古代にあって、情報伝達が飛躍的に進んだにちがいない。ギリシアの歴史家ヘロドトスは「およそこの世に生を受けたもので、ペルシアの使者より早く目的地に行けるものはない」と驚嘆している。たんに時間の短縮なら狼煙《のろし》などの手段もないわけではないが、それでは複雑で正確な内容を伝えることはできない。だから、ダレイオス大王は「夜であれ昼であれ、わが命令は実行される」と豪語したというが、さもありなんと納得できるのだ。

多彩な民族が理解できる公用語を

このような情報伝達には、なによりも言語が欠かせない。なんといっても、空前の「世界帝国」が出現したのである。覇権がおよぶ広大な地域には、さまざまな人々がいたのだ。インド人、メディア人、ペルシア人、バビロニア人、リュディア人、ギリシア人、ユダヤ人、フェニキア人、エジプト人など、多種多彩な民族がおり、彼らの話す言葉もそれぞれ異なっていた。誰もが理解できる言語が望ましいのだから、最大公約数として公用語ができあがることになる。

王碑文には、通常のところ、ペルシア語、エラム語、アッカド語の三言語が楔形文字で刻まれていたが、ときにはヒエログリフで記されていたという。たとえば、名高いダレイオス一世の即位宣言碑文（ビストゥーン磨崖《まがい》の王碑文）も三種の楔形文字で刻まれていた。

だが、重要な記念碑であるから、その写しは帝国各地に送り届けなければならない。そのような場合には、アラム語に翻訳され、羊皮紙やパピルスに記されて各地に届けられていた。アッシリア帝国の時代からオリエント一帯でアラム語を用いる人々が数多くいたからである。ほかにも、エジプトで編纂《へんさん》された法令・判例集がアラム語で出され、総督《サトラプ》の報告書簡もアラム語で記されていた。さらにまた、遠隔地に赴《おもむ》く公務旅行者にも、総督《サトラプ》発行のアラム語の「身分証明書」が与えられたという。

そもそも、アラム人は、前二千年紀末に、シリア砂漠からシリアとメソポタミアの各地に進出した西セム語系の民族である。アラム人はフェニキア人からアルファベットを学んだが、この単純な文字形態のせいで、アラム語はなじみ深い言語になっていた。とりわけ商業交易活動で使われ、さらにまた、外交用語としても用いられ、広くオリエント一帯に普及した公用語になるのである。

もちろん、ペルシア語も支配者の言語として公用語であった。しかし、印欧語系であるために、セム語系住民が圧倒的に多いオリエントでは、未知の言語であり、理解しづらかった。しかも、ペルシア語表記のために考案されたばかりの楔形文字が用いられていたので、多くの住民にはなじみがなかった。

もともと、アケメネス朝は日常生活の言語に干渉しなかったし、母語を異にする人々がお互いに共存することが望ましかった。支配者の言語が排他的に統合のシンボルになることも、言語をめぐる争いが生ずることも、賢明にも避けられていたのだ。

しかしながら、統合を進めるにあたっては、コミュニケーションの充実を図らなければならない。そのために、ダレイオス一世は、帝国の公用語としてあらたにアラム語を採用する。文字は、フェニキア人のアルファベットから発展したアラム文字が使われた。これによって、支配者の言語を強要せず、帝国全土でより円滑なコミュニケーションが実現できたのである。

威勢を誇示するより民族の融和を

それにしても、ダレイオスの見識の高さは、古代という時代にあっては、ひどくきわだっている。たしかに、君臨するペルシア人は人口において少数であったが、軍事力にもとづく権勢において圧倒的であり、被征服民にこびる必要はなかった。だが、支配者の指針はそれなりに理解してもらわなければならないし、それには民衆になじみ深い言語で語るのが望ましいのだ。ダレイオスはペルシア帝国の威勢を誇示するよりも、諸民族の融和をより望ましいと思っていたのかもしれない。そのような融和があってこそ支配者の権勢もより輝かしいものになる、そのことを見通していたのだ。おしなべて力でねじ伏せようとするのが習わしのごとき古代人の世界にあって、これは異例のことだった。

ペルシア帝国の傘下には異質な人々がおり、それぞれの地方行政があった。それらを単位として徴税のシステムが整えられており、広大な帝国のなかに再編されなければならなかった。それとともに、緊密にして迅速なるコミュニケーション網を築くことも必要だった。そのような情報伝達の仕組みができれば、征服戦争を進めるペルシア人を支配者とする中央集権体制が実現する。

しかしながら、その中央集権とは、帝国政府が地方行政を画一的に統制すればいいというものではなかった。肝要なことは、税の徴収、兵力の確保、情報の操作を円滑に進めることだった。「人とモノの流れ」は国家経営の基本となるものであり、その流れをできるかぎり効率よく王の率いる中央政府に結びつけなければならないのだ。

このようなネットワークは、それぞれの地域や階層の差異に配慮して多種多様でありながらも、それぞれの場に応じて速やかに作動するのが望ましかった。ペルシア人は数において少ないのだから、これらのネットワークをより効率よく機能させることが、彼らのオリエント支配を安定させることになるのだ。

ダレイオス一世の治世には、さまざまな改革や政策がなされたというが、それらは必ずしも彼の独創性を示すものではない。先行するオリエント諸国家の制度や伝統を受容し発展させたものも少なくない。さらには、ペルシア人あるいは広くイラン人の社会の慣習を継承し錬磨《れんま》させたものである。

このようにして、さまざまな経験や知恵がダレイオスの治世に融合して洗練されていったとすれば、そこには大王と称されてもいいほどの為政者の卓越した姿があったといえる。この「世界帝国」のモデルは、その後、アレクサンドロスによっても踏襲されていくのであり、後世につながる世界史のなかで大規模な帝国秩序がありうることを示唆するものであったのだ。

キュロス王がパサルガダエに建てた宮殿の跡

ゾロアスター教開祖ザラスシュトラの教え

ところで、くりかえしになるが、ペルシア帝国の都は、新設されたペルセポリスにかぎられていたわけではない。キュロス王の建てた王朝最初の王都パサルガダエ、イラン高原西南部のエラムの旧都スサ、メディアの都エクバタナ、メソポタミアの都バビロンなどにもあり、首都は固定されず、各地を巡幸《じゅんこう》する王にともなって、都も移動する。ペルセポリスの王都は二〇〇年も使用されたが、そのわりには石段の摩《ま》耗《もう》が少ないという。

それでも、ペルセポリスの創設はアケメネス朝の最盛期を広く印象づける出来事だった。このような帝国権力が高らかに宣言されるとき、それをこの世を超越する神々の力で正当なものとしようとする動きがある。いうまでもなく宗教としての祭儀である。

このペルセポリスの王宮からも碑文が出土している。その文面からダレイオス一世の肉声が聞こえてくるかのようでもある。

大いなるアフラ・マズダ

神々のうちのもっとも大いなるもの
これなる神がダレイオスを王とさだめ
これなる神が彼に王権を賦与《ふよ》したまえり
アフラ・マズダのみ心によりて
ダレイオスは王なり
ダレイオスは告ぐ
余にアフラ・マズダが賦与したまえる
麗《うるわ》しき良き馬と人に恵まれたる
この国パールサは
アフラ・マズダと余
ダレイオス王のみ心によりて
異国から脅威を受くることなし
ダレイオス王は告ぐ
余にアフラ・マズダは助力を与えたまえ
すべての神々とともに
また　この国をアフラ・マズダは守りたまえ
敵軍と凶年《きょうねん》と虚言《きょげん》とから
敵軍も凶年も虚言も

この国に近づくことのなからんことを
この恩慮《おんりょ》を　余はアフラ・マズダに
ともども　すべての神々に祈願したてまつる
この恩慮を　余にアフラ・マズダは与えたまえ
すべての神々とともに。（佐藤進訳、一部改変）

ここでアフラ・マズダとよばれる神は「知恵の神」であり、ゾロアスター教の最高神である。ゾロアスター教は拝火教《はいかきょう》とも祆教《けんきょう》ともいわれる古来のイランを中心に信仰されていた宗教である。ただしゾロアスターを奉じる人々が自らの宗教を拝火教あるいは祆教などとよぶことはなかった。

だが開祖ザラスシュトラ（ギリシア名ゾロアスター）は生没年代が不詳であり、前二千年紀の人とも言われるが、ギリシア人の伝承に従ってひとまず前七世紀の人としておこう。

火を拝み善行によって救済されると説く

さかのぼれば、イラン高原に侵入した印欧語系のアーリア人は、先住民に同化吸収されてしまったという。そのころ鉄器と騎馬術が急速に普及していたので、新たな戦士団が形をなしつつあった。旧来の因襲《いんしゅう》はすたれ、社会は混乱するばかりだった。このような混迷にみちた世に生まれ、ザラスシュトラは苦難する人々の姿に心を悩ませた。彼には真の神は善なるものであるという確信があったという。人々は、ひたすら真の神を崇め、善意と愛情にあふれ、結婚し子供を育て仕事に勤《いそ》しむべきだ。

そうすれば救済にあずかることができる、とザラスシュトラは説くのだった。

その教えは、イラン人の移住とともにイラン高原全域に広がっている。前六世紀のペルシア帝国の時代には、民衆にも広く信仰されるようになったらしい。しかしながら、ペルシア人は、偶像《ぐうぞう》を拝んだり、神殿や祭壇を建てたりすることに熱心ではなかったという。祭司でもない凡俗《ぼんぞく》の信徒にとって、具象的な形のないところで聖なる存在をあがめるのはたやすいことではない。

しばしば、ゾロアスター教は拝火教とよばれるが、アケメネス朝中期頃から、寺院が建てられ、その中心に炎のゆらめく火をあつかう儀式が生まれたからである。これなら、素朴な民衆の心にも遍《あまね》く存在としての神も理解しやすいものになったにちがいない。おそらく古来の遊牧生活の名残であり、家屋の象徴である竈《かまど》の火を尊ぶ慣習を儀礼化したものであろう。

しかし、なによりも大切にされたのは人々の内面のあり方だった。善行によって救済されることが説かれ、そのために信仰者に義務を果たすことが求められた。ここでは、儀式を重んじる古来の祭祀中心の宗教とは異なる信仰の形が生まれていたことに注目しなければならない。この新しい信仰のあり方については、次章でさらに考えてみることにしよう。

交易商人の富が支えた金銀製品

イラン高原は、北と西を白雪の峰々に囲まれ、南はペルシア湾からインド洋にのぞんでいるが、内陸部の大半は不毛の荒野である。東北方のタクラマカン砂漠から西南方のアラビア砂漠にいたる乾燥風土地帯の中央にある。

昼は焼けつくような炎熱の太陽にさらされた荒涼《こうりょう》たる風土であるが、そこにあっても人々は数千年の太古からこの地方にふさわしい独自な生活を営んできた。連なる山々の斜面や谷間の草原があれば、山羊、羊、馬、駱駝《らくだ》などを引き連れた遊牧の民が水と牧草を求めて移動する。また、雪解け水があふれる川や地下から噴き出す泉を中心として緑地帯のオアシスが生まれ、そこに定住した農耕の民は大麦や小麦の畑を耕し、ブドウ、ザクロ、イチジクなどの実る果樹園の手入れをした。それらの栽培植物の収穫を期待しながら、集落の生活が営まれていた。

これらのオアシスの農耕集落は小規模であり、ささやかな生活風景だったにすぎない。だが、これらの小集落が豊かな生産活動を営むようになり、大きな集落としての町あるいは都市に発達したのは、なぜであろうか。そこにはオアシス集団を中継する交易商人のキャラヴァン隊があった。

イラン高原は東西の諸国を結ぶ商業路に位置していたのだから、まさしく当時における国際交易のなかで大役を担《にな》う背景をもっていた。ギリシア人ヘロドトスは「ペルシア人は、ダレイオスは商売人だったという。すべてを利益に変えていたからだ」と語っている。王位簒奪《さんだつ》者だったから、ダレイオスの出自が好ましからざる貪欲《どんよく》な商人と見なされていたとはありえることかもしれない。背景には、おそらく王宮のために働く交易商人がいたことがあるのだろう。彼らは同時に自分たちのためにも行動していたにちがいない。辺境の地中海沿岸が活性化し、相互の交易が盛んになっていたし、アナトリア半島西部では鋳造《ちゅうぞう》された硬貨が普及しつつあった。

それればかりでなく、豊かな富に支えられて高度な文化を築くことになり、さらに、中継交易地にふさわしい東西文化の交流にも大きく貢献することになる。後に中国から中央アジアを経てイラン高原を通りバグダードに達するシルクロードの幹線をなすものだった。アケメネス朝ペルシアは、東はインダス河から、西はナイル河にいたる広大な領土を支配していた。ここが栄華にあふれるペルシア美術の舞台となるのだ。

なかでも気になるのは、美的感覚にすぐれたペルシア人は金銀製の美術品をおびただしく残していることだ。

そもそもペルシア人は北方草原の遊牧民の世界に自分たちの故郷の地を見出していたにちがいない。そこでは、先史にさかのぼる伝統遺産として動物意匠がなによりも愛好されており、それらは写実と装飾が見事なほどの調和をたたえた工芸品であった。

アケメネス朝の銀の鉢。前550年頃。ボストン美術館蔵

このように北方遊牧民スキタイなどとの結びつきをもつペルシア人だからこそ、活気あふれる動物芸術を制作することに、ひとかたならぬ意欲を燃やしつづけたのである。これらの工芸品のなかでも、ギリシア人の側からは、ペルシア戦争の際にペルシア軍が打ち捨てた数多くの金銀製品がよく知られていたという。

その背景には、王宮の宴会で使われていた金銀製品が想像される。たとえば、メディアの首都で、ペルシア帝国の夏の王都にもなったエクバタナからは華麗な金製品が出土している。アケメネス朝期のものとして有翼獅子《ゆうよくしし》のリュトン（杯）などはいかにも王宮の卓上で人目をひいていた様が浮かんでくる。また、ダレイオス大王の後継者であるクセルクセス王の名を刻んだ黄金杯もその豪華さでひときわ目立っている。

さらにまた、王侯貴族の身のまわりには、さまざまな意匠をこらした黄金の装飾品がきらめいていたにちがいない。その一端は、「オクソス遺宝」のなかのグリフィンの腕輪《うでわ》（大英博物館蔵）のきらびやかさからもしのばれる。腕輪のほかにも、首飾り、耳飾り、帯金具《おびかなぐ》など、黄金製のものが少なくなかった。

アケメネス朝ペルシアの黄金の工芸品。上は有翼獅子の黄金のリュトン、高さ22.3cm。下は黄金の杯、高さ11.6cm。いずれもイラン国立博物館蔵。『ペルシャ文明展　煌めく7000年の至宝』図録より

謁見殿で諸民族が大王に忠誠を誓う

パサルガダエにあるキュロス王の墓廟。©Bernd81 CC BY-SA 4.0

彩釉レンガによる近衛兵の行列。これはベルリン美術館蔵のもの

アケメネス朝ペルシアには、パサルガダエ、スサ、ペルセポリスなどに王宮址《おうきゅうし》があるが、それらの建築物には数多くの彫刻や浮き彫りが残されている。

パサルガダエの王宮には、樹木の並ぶ庭園のなかに謁見《えっけん》殿《でん》、迎賓殿《げいひんでん》、聖火壇《せいかだん》、聖火神殿などがあったらしい。正門らしい遺構があり、そこには有翼の精霊とよばれる優雅な浮き彫りが見られる。また、この遺跡の南端にはキュロス王の墓廟《ぼびょう》があり、六段の基壇上に白石の切妻《きりづま》屋根の墓室がのっている。

歴史の古いスサはエラム王国の首都だったこともあり、そのアクロポリスの北側に王宮址がある。ダレイオス大王はこの旧都に新しい王宮を建てて、行政上の首都にした。

その定礎碑銘によれば、糸杉材はレバノン、黄金は小アジアとバクトリア、銀と黒檀《こくたん》はエジプト、象牙《ぞうげ》はエチオピアとインドのごとく、あらゆる資材を支配下にあった諸国に供出させている。さらに石工《いしく》としてイオニア人とサルディス人、金工としてメディア人とエジプト人、焼成レンガ職人としてバビロニア人などを動員して作業にあたらせた。全土の属州から数多くの資材と工匠《こうしょう》を結集して王宮建設に従事させたのだから、まさしくペルシア帝国の威光と栄華を象徴するかのような大事業であった。この王宮出土のものとしては彩釉《さいゆう》レンガによる近衛兵の行列（ルーヴル美術館蔵）の鮮やかさが目をひく。

前五一四年、ダレイオス大王は故郷パールサの地に新王宮を造営しはじめる。東西三〇〇メートル、南北四五〇メートルの大基壇が築かれ、その上に、いくつもの宮殿が集中してまとめて建てられた。大基壇の南縁には「アウラマズタの恩寵《おんちょう》によって余はこの王宮を建てた」と誇らしげな造営碑文が残されている。

この王宮のなかでも、アパダーナとよばれる謁見殿には注目すべきものがある。そもそも、この王宮は、政治のための首都ではなく、古代ペルシアの新年である春分の日を祝うために造営されたという。この元日の祝祭の日、ペルシアやメディアの貴族たちが謁見殿の階段を昇り、大王の桟敷《さじき》に集まった。ここにおいて、眼下の平原に集合した諸民族の朝貢《ちょうこう》使節団の行列を観閲《かんえつ》する。使節団は二三の民族からなり、それぞれが謁見殿の隣にある玉座殿に向かい、ここで典雅な拝謁《はいえつ》の儀式が行われたという。謁見殿の基壇側壁にはその光景を描いた浮き彫りがある。

名高い「ダレイオス大王の謁見」の浮き彫りは、もともとは謁見殿の階段正面にあったらしい。この浮き彫りでは、朝貢する全属州の諸民族を代表して、メディアの重臣が堂々たる大王の前で忠誠を誓う姿で描かれている。王の御前に出ると、上半身を屈《かが》めて平伏しながら、王に向かって投げキスをするのが作法だった。

その後ろに朝貢使節団の行列がつづく。

先頭の第一列は最大規模のメディア使節団であり、友愛を象徴する腕輪をたずさえている。第二列はエラム使節団であり、弓と矢をたずさえ、ライオンを連れている。第三列はアルメニア使節団であり、馬を引き連れている。第四列はアラコシア使節団であり、フタコブラクダを連れている。第五列はバビロニア使節団であり、聖杯をたずさえ、聖なる牡牛《おうし》を連れている。第六列はアッシリア・フェニキア使節団であり、華麗な宝石と壺《つぼ》をたずさえ、小型の馬を連れてい

ペルセポリス、謁見殿の「エラム人の貢納行列」

ダレイオス大王の謁見

メディアからの貢納使節団。ペルセポリス

る。第七列はアリア使節団であり、壺をたずさえ、フタコブラクダを連れている。第八列はキリキア使節団であり、美しい杯をたずさえ、山羊を連れている。第九列はカッパドキア使節団であり、馬を連れている。第一〇列はエジプト使節団であるが、屋根の落下で浮き彫りの下部しか残っていない。

共存共栄を演出したペルシアの平和

第一一列はスキタイ使節団であり、先の尖《とが》った帽子が目立ち、遊牧民らしく馬を連れている。第一二列はリュディア・イオニア使節団であり、貴金属製の杯、織物用糸、織物の束をたずさえている。第一三列はパルティア使節団であり、杯をたずさえ、フタコブラクダを連れている。第一四列はガンダーラ使節団であり、聖牛を連れている。第一五列はバクトリア使節団であり、華麗な壺をたずさえ、フタコブラクダを連れている。

第一六列はサガルティア使節団であり、装束《しょうぞく》はどこかメディアともアルメニアともカッパドキアとも似たところがある。馬を引き連れている。第一七列はソグディアナ使節団であり、楽器のような用具をたずさえ、馬を連れている。第一八列はインド使節団であり、腰巻をしめており、平衡棒の付いた枝編みざるをたずさえ、ロバを引き連れている。第一九列はトラキア使節団であり、スキタイ風の尖った帽子をかぶり、馬を引き連れている。第二〇列はアラブ使節団であり、ヒトコブラクダを連れている。

第二一列はガンダーラ南方のドランギアナ使節団であり、牡牛を引き連れている。第二二列はソマリス使節団であり、戦車を引く馬を連れている。最後の第二三列はエチオピア使節団であり、象牙をたずさえ、麒麟《きりん》を引き連れている。

このようにして、諸民族それぞれの高貴な代表者が特産の品々や家畜を献上し、玉座に鎮座《ちんざ》する大王に恭順《きょうじゅん》の忠誠を表明する。この新年の儀式の壮麗さはまさしくペルシア帝国の栄光を諸国民にまざまざと見せつけるものであっただろう。それとともに、先導役に手をとられて朝貢する異邦人たちの雰囲気はペルシア人の平和愛好を十分に伝えているかのようである。

ところで、膨大なアケネメス朝ペルシアの美術には、どのような特徴があるのだろうか。一方では、洗練された宮廷美術のなかには、各種の文化が競合しながら融け合っていることである。ウラルトゥの工芸、バビロニアの伝統技法、フェニキアやイオニアの彫刻などが影響をおよぼし、帝国領内にあって混然《こんぜん》としながらも画一したものになっている。

他方では、ペルセポリスの朝貢図が明らかにするように、全土の諸属州の各民族について、それぞれの個性を尊重するという大帝国の基本方針をひときわ感じさせる。それは諸民族の個性を尊重するというよりは、それぞれの民族の姿が鮮明に浮かび上がるということであった。あるいは諸民族の共存共栄が演出され、平和な世界帝国の舞台が整えられたと言ってもいいだろう。世界史の流れで見れば、五百年後のパクス・ロマーナ（ローマの平和）に先立つパクス・ペルシアーナ（ペルシアの平和）の出現であったとも言える。

3　ギリシアとの戦争

ペルシア戦争（1）──スキタイ北伐の失敗で鉾先を変える

ダレイオス大王の世界帝国の威容がきわだって目立つほどに、その周辺にあって辺境を脅《おびや》かす勢力があれば、なにかと気にさわるものだった。なかでも、黒海北岸の草原地帯を拠点とした騎馬遊牧民スキタイ人は、西アジアの北方に出没し、すでにアッシリア帝国衰退の一因をなしたという。前六世紀末、国運の上昇一途をたどるペルシア帝国にとっても、北方にあって神出鬼没《しんしゅつきぼつ》な騎馬遊牧民は目ざわりなどころではなくなったらしい。勢いづくダレイオス大王は、平和の秩序を乱す輩《やから》への復讐であるかのごとく、北伐《ほくばつ》の陸海遠征軍を編制する。

陸上部隊は黒海沿岸を北上し、黒海には艦隊を浮かべて、交戦にそなえた。だが、艦隊との連絡を失った陸軍は、うっかり奥地に入りこんでしまった。そこにどこからともなくスキタイ人の騎馬軍団が出没する。彼らは挑発したり威嚇《いかく》したりするが、交戦にもちこもうとすると、駿馬《しゅんめ》を駆って遠ざかり、彼方へと消え去ってしまうのである。

とらえどころのないスキタイ軍に翻弄《ほんろう》され、いつしかペルシア軍はさらに敵地の奥深くへと誘いこまれていた。スキタイ軍は退却するかのようにみせかけながらも、その辺り一面を焼き払ってしまうのである。神出鬼没なスキタイ軍の暗躍と焦土《しょうど》作戦のために、ペルシア軍は焦燥し疲弊した。そこへさっそうたるスキタイ騎馬軍団が襲撃し、とめどもない矢の雨が降りそそいだという。壊滅の危険を感じたダレイオスは、もはや撤退するよりほかになかった。

このようなスキタイ北伐の遠征は、ペルシア帝国にとって為す術もない完全な失敗であり、しかも最初の大敗であった。迅速で機動的な騎馬戦術、さらには騎射の威力がきわだち、騎馬遊牧民の軍事力がいかんなく発揮された戦いであった。騎馬遊牧民は、あたかも逃走するかのように見せかけ、敵軍を不馴れな未知の土地に誘いこみ、追撃の幻想のなかで疲れはてさせる。騎馬遊牧民の本流であるスキタイ軍の前では、騎兵戦略を自負したペルシア軍といえども、とどのつまり亜流にすぎなかった。世界帝国の威信をかけたダレイオスの野望は、ここで潰《つい》えてしまったのであろうか。この後、彼は鉾先《ほこさき》を北から西へ変え、前五世紀になるとギリシア遠征の作戦を開始するのだ。

スキタイの黄金の装飾櫛。スキタイの工芸品は黄金で動物をかたどったものに特徴がある。エルミタージュ美術館蔵

世にいう「ペルシア戦争」は、その名称からして、ギリシア側から見た戦争の顚末《てんまつ》である。この戦争をめぐる最も重要にして唯一ともいえる史料がギリシア人ヘロドトスの『歴史《ヒストリアイ》』であるから、史家個人のまなざしが叙述にしみこんでおり、越えがたい枠組みをなしているのだ。

前一〇世紀頃から、アナトリア半島のエー

ゲ海沿岸地域にギリシア人が移住し、そこはイオニア地方とよばれていた。前六世紀、ペルシア帝国の支配がこの地方にまでおよび、サルディスのペルシア人総督《サトラプ》の覇権の下にあった。

大帝国の支配は苛酷《かこく》なものではなく、ペルシア人は宥和的《ゆうわてき》態度でのぞんでいた。とくに内政にあってはポリスの自治が認められていたという。だが、それは建て前上であって、実質面では内政干渉は避けられなかっただろう。というのも、ペルシア帝国の独裁支配からすれば、ポリスになぞらえるなら僭主《せんしゅ》体制が望ましかったからである。ともかくペルシア側から、陰に陽に僭主を擁立しようとする働きかけがあったにちがいない。

前五一三年、ダレイオス大王はスキタイ遠征に着手し、アジアからヨーロッパの地に渡るために、ボスポラス海峡周辺に船橋《せんきょう》を設けさせた。この作業にはイオニア船隊も参加し、ダレイオスの率いる遠征軍を通過させた。その後は遠征軍帰還のために待機していたが、約束の期日が過ぎても遠征隊は帰還できず、待機する船隊にも動揺が見られたという。

そのとき、スキタイ人の騎兵部隊が現れ、船橋を解体して引き揚げるように勧告した。ただちにギリシア人部隊は軍略会議を開き、勧告受諾の可否を議論する。一方は、勧告を受け入れイオニアをペルシア支配から解放しようと主張する。他方は、ダレイオス大王への忠誠こそ大事だと唱えるのだった。後者の意見を強調したのがイオニアの中心的な都市、ミレトスの僭主ヒスティアイオスであった。結局、ダレイオス忠誠説が多数を占めて、ペルシア軍は無事に帰国することができた。この局面で見れば、帝国政府が僭主の擁立を支援してきたことは理にかなったことであった。

イオニアの反乱と鎮圧

ところで、イオニアのギリシア人のなかには、もともと反ペルシア主義ともいえる感情がくすぶっていた。王権の専制政治が、民主政の風潮が根をはっていたギリシア人の心情になじむはずがなかった。ダレイオス大王のスキタイ遠征が失敗に終わると、大王に協力したイオニア諸市に不穏な動きが出てくる。

ミレトスにあって僭主ヒスティアイオスが退くと、僭主代行のアリスタゴラスの手でイオニア諸市における僭主政の廃止が唱えられた。それは重大な事態を意味する。ペルシアの統治政策に真っ向から楯《たて》つく政治行動にほかならなかった。たんなる抵抗というよりも、まさしく反乱であり、その口火が切られたのだ。

この人々は「ミレトスとその同盟勢力」と称し、ギリシア本土の二大強国であるアテナイとスパルタに援軍派遣を要請した。鎖国主義に傾きがちだったスパルタはその要請を受け入れなかったが、ペルシアの富に食指が動いたアテナイは要請に同意した。前四九八年、アテナイは小アジアに出兵し、ペルシアの拠点であるサルディスを焼き打ちした。

だが、アテナイの援軍はこのときだけであり、その後はペルシアの報復を恐れて加担しなかったらしい。それでも、ミレトスを中心とする同盟側は勢いを強め、イオニア反乱の火の手は燃えさかった。

やがて、ペルシアの反攻がはじまり、反乱陣営の内紛もあって、前四九四年、ミレトスは陥落し、イオニア軍は鎮圧された。よほど報復の執念が強かったのか、男たちはほとんど殺戮《さつりく》され、女たちは拉致《らち》された。なかでも、えり抜きの美少年や乙女たちは宦官《かんがん》やハレムの女官になるべく王宮に送られたという。

さらに、アテナイの介入にひどく憤っていたダレイオス大王は、翌々年、ギリシアに出兵する。だが、不運にも、海路で暴風雨に遭い、為す術もなく撤退を余儀なくされた。それでも、ダレイオスのギリシア遠征の執念はおさまるところがなかったという。

ところで、ペルシア戦争の背景を考えるとき、ペルシア側はどのような思惑をいだいていたのか、それについて、いささかふりかえっておきたい。ある学者によれば、前述したスキタイ北伐作戦とはそもそもギリシア本土への小麦供給地たる黒海沿岸との連絡を絶つことが目的であったという。もし、そうであれば、ギリシアの諸ポリスはそれほどまでにペルシアを脅《おびや》かす勢力であると感知されていたことになる。

だが、前五〇〇年前後の時点で、ペルシア帝国にとって、ギリシア本土はそれほど魅力のある土地ではなかったし、ましてや将来の大敵であるはずがなかったのではないだろうか。世界史の立場から端的に見れば、統一すらなしえない弱小ポリスの連合が強大国ペルシアに立ちはだかっていたとは、どうしても思えないのだ。

たしかに、ギリシアを西洋文化の源流とする近代人の目からすれば、ヨーロッパを代表するギリシアとアジアを代表するペルシアとの対立の構図はわかりやすいものであろう。やがてギリシアの勝利に終わる事の顚末《てんまつ》は、ヨーロッパ文化の優位を示唆して余りある出来事であったことになるのだ。

しかし、その前一千年紀半ばという当時の現代史として考えれば、偉大なるペルシアの支配者にとって、鄙《ひな》びたギリシアなどはとるにたらない野蛮な僻地《へきち》にすぎなかっただろう。とはいえ、スキタイ北伐作戦に失敗したダレイオスにしてみれば、世界帝国の大王としての威光が色あせることは耐えがたかったのではないだろうか。イオニア反乱の背後で支援したアテナイを盟主とする勢力は、遠征軍を派遣する絶好の標的になる。この遠征で勝利すれば、ペルシア帝国大王の威光はさらに輝かしいものになるはずだった。そのような野心があったとしても不思議ではない。

そうすれば、史上に名高い「ペルシア戦争」も、騎馬遊牧民討伐の失敗が咲かせたあだ花にすぎなかったということになる。古代ギリシアの栄光にばかり目を奪われず、北方の騎馬遊牧民の勢威にも充分なまなざしを向けるならば、おそらくユーラシア西方の当時の歴史は、おおまかには、そう理解しておくのが偏向なしで公平である。少なくとも、最初の段階のペルシア戦争は「あだ花」のようなものとして思い描いてもいいのではないだろうか。

六〇〇隻の大艦隊でマラトンに接岸

ところで、不運な海路の暴風雨にさえぎられたためにペルシア軍は撤退したが、憤懣《ふんまん》やるかたないダレイオス大王はギリシア遠征を断念したわけではなかった。態勢を立て直すと、前四九〇年、六〇〇隻からなる艦隊が、アテネをめざして、エーゲ海を渡り、ギリシア本土に迫った。

途中、イオニア反乱に加担したエウボイア島のエレトリアを七日間にわたって包囲し陥落させた。ほどなく、アテナイに向かって進軍する。ペルシア側は海戦のつもりはなく、あくまで陸軍の大部隊を搭載《とうさい》しており、馬匹《ばひつ》輸送船をしたがえていた。

ペルシア艦隊が接岸したのは、アテナイから北東三〇キロメートルも離れたマラトンだった。もっとアテナイ市街に至近の海岸があったのに、なぜ僻遠《へきえん》のマラトンの地だったのだろうか。たしかに、ペルシア軍のマラトン上陸はアテナイ人には意表をついた行動に思われた。

この作戦の背景には、ペルシアに亡命したアテナイの元僭主ヒッピアスの助言があったらしい。彼は偉大なる僭主ペイシストラトスの息子であり、その後継者としてかつてはアテナイに君臨していた。だが、民主派との抗争に敗れ、こともあろうにペルシアに亡命していたのだ。

ヒッピアスはペルシア軍に「騎兵活動にもっとも好都合である」と進言したという。だが、彼の真意はマラトンの地がペイシストラトス家の地盤であったことにあるらしい。ペイシストラトスの血をひく自分が登場すれば、マラトン近隣にひそんでいる応援者たちが支持してくれることを期待してのことだった。

しかし、ヒッピアスの目論見《もくろみ》どおりに事は運ばなかった。アテナイ市民軍は迅速《じんそく》な行動をよしとして出撃し、友好ポリスであるプラタイアの援軍をえて、ペルシア軍と向かい合う。このとき、ペルシア側は三万人ほどの兵員であり、アテナイ側は一万人ほどの兵員だったという。

圧倒的にペルシア軍が優勢であったが、戦線中央でアテナイ軍を押し戻したペルシア軍は追撃に熱中し深追いしてしまう。左右両翼にいたアテナイ・プラタイア軍は敵を粉砕すると、ペルシア中央軍の側面や背後に迫り、これを包囲する。まんまとアテナイ軍の術中に陥ったのである。両翼の敗残兵は逃げるにまかせ、ペルシア中央軍壊滅作戦がなされた。ペルシア兵は殺されるか、算を乱して敗走するか、まさしくペルシア軍の大惨敗であった。

しかしながら、このように描かれる裏には、前六世紀末に僭主政を打倒し民主政を樹立したばかり

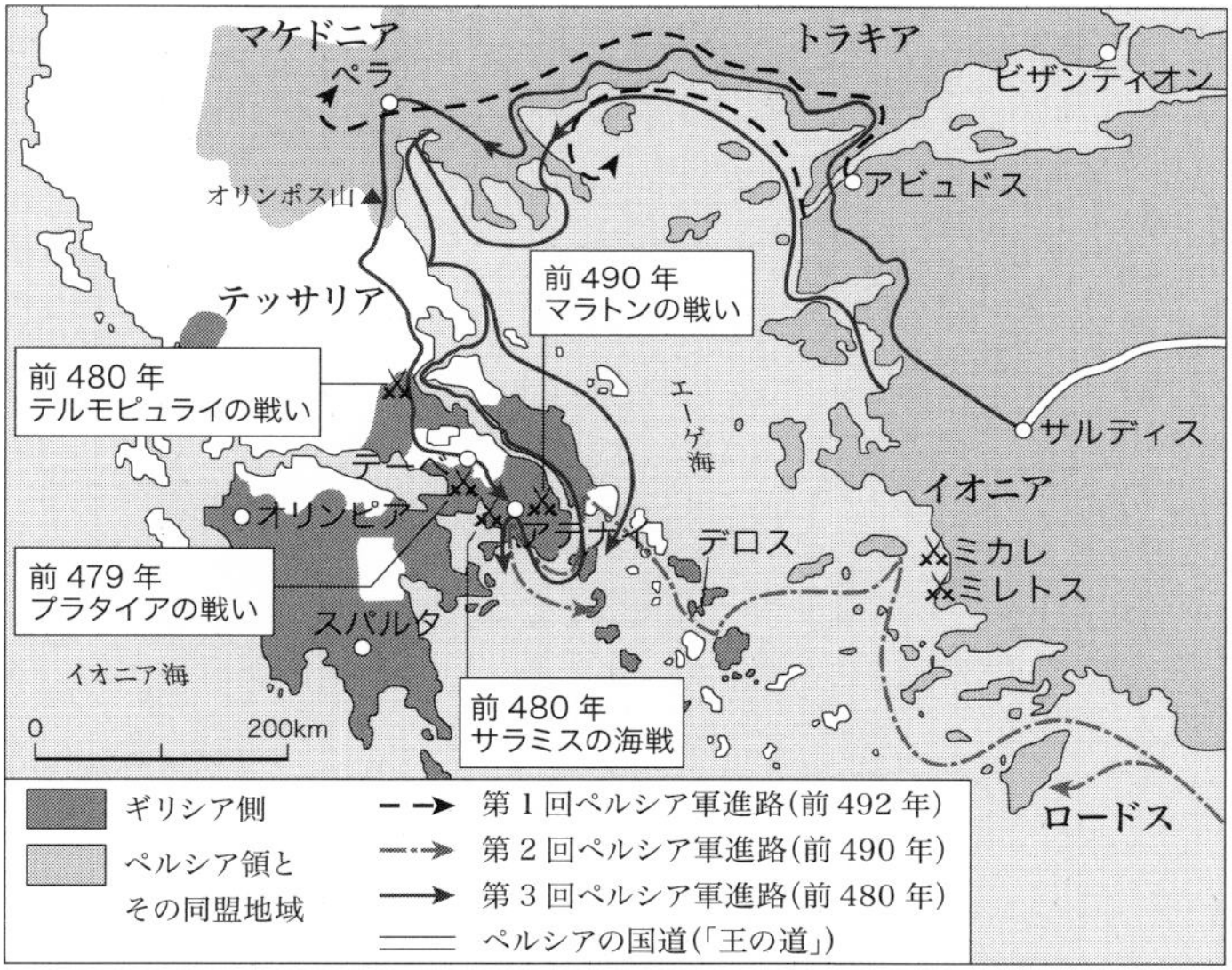

ペルシア戦争関係地図

のアテナイ市民共同体があったことは忘れるべきではない。彼らにとって、その市民団の重装歩兵隊が勝ちとった最初の勝利であった。だから、「マラトンの戦い」は美化され、アテナイ人の記憶のなかで伝説として仕立てられたのである。

　ペルシア側からすれば、亡命者ヒッピアスの目論見は見え透《す》いていたふしがある。ペルシアの軍事力を後ろ盾にして、ヒッピアスはアテナイの地盤を回復しようと狙っていたのだと。事が思惑どおりに行けば、親ペルシア勢力の拠点ができるかもしれないのだ。華々しい勝利でなくても、それはペルシア帝国の勝利として声高にできることだった。だが、そうならないという事態が見え見えになれば、もはやただちに撤退するのが無難なのだ。おそらくペルシア軍のあっけない敗退は早々に撤退したにすぎないということだろう。

報復の遠征を決意するも崩御

ダレイオス大王の真の狙いは、ギリシアの征服というよりも親ペルシア勢力を固めるというところにあったのではないだろうか。アテナイを中心とするギリシア本土に親ペルシアの基盤を築くことこそできなかったが、ギリシア人の世界に広げて注目すれば、目的は達成されなかったわけではないのだ。というのも、このころから、小アジア、トラキア、マケドニアばかりか、エーゲ海の島々までがダレイオスの覇権下に服属するようになっていくのだった。

それでも、マラトンの戦いの報が届くと、ダレイオス大王はことさら憤慨していきり立ったという。なにしろギリシアの中心勢力が従順ならざるのだから、腹にすえかねるのだった。アテナイに対する報復の遠征を決意し、アジア各地に使者を遣《つか》わし、出動を命じる。ヘロドトスの伝えるところでは、全土から「最精鋭の兵士がよりすぐられて遠征の準備に忙しく、かくてアジア全土は三年にわたって激動をつづけた」という。

しかし、四年目になると、南方のエジプトに不穏な離反の動きが現れた。おそらく長い間の重税の負担がのしかかっていたせいだろうが、この属州民の反乱はギリシア以上に直接の危険となることだった。そもそもエジプトは富裕な土地であったのだから、どうしても支配下におくべき地域であった。

ペルシアの慣習に従い、ダレイオスは出征に先立って、後継者にクセルクセスを指名する。ダレイオスには六人の妃がおり、少なくとも一二人の息子がいたというから、大王みずからが後継者を指名しておくのが望ましかった。

ところが、エジプト反乱軍の鎮圧のための遠征の準備中に、不運にも、ダレイオスはこの世を去ってしまう。後世のペルシア宮廷史家は、大王が崩御《ほうぎょ》したのは「伝統である供犠《くぎ》を行うためにペルシア国内にいたときだった」とだけ伝えている。在位三六年であったという。

ペルシア戦争（2）――クセルクセス、アテナイ征伐に大軍を動員

後継者クセルクセスはまず大王の葬儀をすませ、みずからが王位につくことを表明する。なにはともあれ、父の事業を受け継ぎ、まずは離反しそうなエジプトに遠征した。軍隊を率いてナイル河沿岸まで進み、反乱軍を鎮圧すると、親族を総督として残し、現地を去ったという。

クセルクセスはペルセポリスの建設整備工事には熱意を注ぎ、事業はほぼ完成の域まで進んだらしい。しかしながら、彼は当初はギリシア遠征などという意図はまったくなかったという。もっぱらエジプト討伐のために徴兵するだけにすぎなかった。エジプト以外でも不穏な動きがなかったわけでもないが、早期に沈静化させることができた。

ところが、側近の有力者に「王の御威名を天下に響かせる」ためにもアテナイ征伐に立ち上がるべきだと説得されたという。ギリシア北方のトラキアとマケドニアには食糧が備蓄されており、帝国各地から兵員を集めればいいのだ。ヘレスポントス（ダーダネルス海峡）には船橋《せんきょう》が架設《かせつ》され、その上に行軍用の通路が準備された。

前四八〇年、大軍を率いたクセルクセスは、途中でも徴集兵を編制しながら、やがて船橋を渡って

クセルクセス王の浮き彫り。イラン国立博物館蔵。©Darafsh CC BY 3.0

ヨーロッパの地を踏んだ。そこでも兵員を集め、トラキア、マケドニアを通過して、ギリシア北部に進軍した。

ヘロドトスによれば、ペルシア軍は、歩兵一七〇万人、騎兵一〇万人の陸軍があり、艦船一二〇七隻からなる海軍もあって、閲兵《えっぺい》するだけでも一週間かかったという。でも、この数字はあまりにも誇張されているだろう。ギリシア側からすれば、敵の軍勢が大きいほど、それと戦った味方の兵力が優秀であることを強調できるからだ。

現在の研究では、憶測の域を出ないというが、アジア系歩兵戦力は非戦闘員を加えても一五万〜一七万人、さらにヨーロッパ系歩兵から補強されても、二〇万人ほどがペルシア陸軍だったという。海軍については、軍船六〇〇隻と物資補給の輸送船六〇〇隻ほどはあり得ることであり、そこにもそれ相応の人員が投入されたことは想像できるのだ。

いずれにしろペルシア軍勢は大軍を誇った。陸路を進むクセルクセスの軍勢はテルモピュライの地に誘いこまれる。それとともに、海上にあっては、アルテミシオン岬でギリシア艦隊が待ちかまえていた。

とりわけ、スパルタのレオニダス王は、世継ぎの子供のいる者たちのなかから選りすぐった伝統の

「三百人隊」を編制し、彼らを率いてテルモピュライで防戦にあたる。そこには中央隘路《あいろ》があり、その地形は大軍にはあまりにも不利であったので、ペルシアの軍勢は苦戦をしいられた。だが、三日間にわたる激烈な攻防戦の末に、スパルタ軍はレオニダス王ともども玉砕《ぎょくさい》したという。クセルクセスの率いるペルシア軍も大きな損害を被《こうむ》ったが、テルモピュライの隘路を攻略し、ギリシア本土を深く南下する。

アテナイを中心とするギリシア艦隊はペルシア艦隊によく対抗したが、陸戦の敗退が決まると、すばやく深夜にアルテミシオン岬から撤退してしまう。だが、それはまさしく兵力の温存であり、次なる海戦に備えたのである。

サラミスの海戦に大敗北して撤退

ペルシアの軍勢は、陸路にあっても海路にあっても、アテナイに向かって南進する。すでにアテナイ周辺の住民は対岸のサラミス島やほかの地域に疎開していたので、数少ない現地残留の守備隊では、ペルシアの大軍に長くは持ちこたえられなかった。

やがてクセルクセスの率いるペルシア軍はアテナイのアクロポリスを攻略し、神殿を破壊した。これに対して、ギリシア海軍は住民が疎開しているサラミス島に後退したかのようだった。だが、これは本土と島との間にあるサラミス水道にペルシア艦隊を誘いこむ作戦だったという。

ギリシア連合の海軍はサラミス島沿岸に布陣して待機していた。ペルシア海軍は狭い水道にはうかつに入っていけないことを知っており、外側から海上封鎖するしかなかった。だが、ギリシア側のしかけた偽の情報にかかってしまったらしく、夜陰《やいん》にまぎれてサラミス水道に奥深く進入してしまう。

夜が白み日の出とともに、ギリシア艦隊が整然と船脚を進めて姿を現し、ペルシア海軍の前に青銅の衝角《しょうかく》を先に突進してくるのだった。この時代の海戦は体当たり攻撃が基本である。ペルシア側からすれば、統率のとれたギリシア艦隊の不意打ちにあったのであり、もはや船列を乱して味方どうしがお互いに邪魔するような大混乱になったという。まぎれもなくペルシア艦隊の大敗北であった。それにともなって、ほとんど無傷であったにもかかわらず、ペルシアの陸軍部隊もこの地から撤退した。

このサラミス海戦について、ギリシア人の記述は、クセルクセスの臆病ぶりを強調し、「無我夢中で逃亡した」などとはやしたてる。だが、ペルシア側はなにはともあれ王の生命が無事であることが大切だった。

広大なペルシア帝国内には諸地域に難題が山積しており、それらに対処しなければならなかった。そのような事情について、ギリシア人はほとんど知らなかったのだろう。このときも、クセルクセスは小アジアに引き返したが、反乱していたイオニア人に対して反撃している。

また、クセルクセスの軍団はすべてが撤退したわけではなく、かなりの軍勢にはギリシア本土で戦闘を続行することが命じられていた。同時に、アテナイ側にあっても、ペルシアとの同盟を結ぶ和平案も模索されたという。だが、好戦的なスパルタの圧力で、その案は拒否された。

アテナイ侵攻を試みるもプラタイアで敗走

翌年、ペルシア軍は再度のアテナイ侵攻に着手する。しかし、ギリシア連合軍の勢力結集を前に、ギリシア中部に退却して決戦に備えた。やがて、ボイオティアのプラタイア付近で両軍は対峙し、激戦となった。ペルシア側は、スパルタ軍が先導するギリシア連合軍の内部分裂を期待していたが、不運にもペルシア軍の名だたる勇将が戦死してしまう。それとともに、最強部隊からなるペルシア軍の戦意はくじかれ、戦列は乱れ、兵士たちは散り散りに敗走するしかなかったという。ギリシア軍は分裂の危機を乗り越え、プラタイアの地で大きな勝利をおさめたのだ。

このプラタイアの勝利と同日に、小アジア西端のミレトス近隣の戦いでペルシア軍はギリシア軍に一敗地にまみれたという。もっとも、これがプラタイアの戦いと本当に同日であったかどうか、それは定かではない。大勝利をことさら強調したがるのは世の常であるから、大国ペルシアに対する弱小勢力ギリシア人の誇張であり、伝説にすぎないのだろう。

じっさい、悲劇作家アイスキュロスの『ペルシア人』では「もはや大王の権勢は失われた」と合唱隊は朗唱《ろうしょう》する。クセルクセスの治世のなかでも、このサラミスからプラタイアにいたる敗退は、アケメネス朝衰弱の兆しと見なす見解がギリシア人の社会ではありふれていた。

さらに、偉大なるダレイオス大王の後継者クセルクセスの治世末期について、ギリシア人の作家たちは、邪《よこしま》なまであいまいな形でしか描いていない。しかし、悪意ある王妃や後宮の陰謀のために災難になやまされたというが、真偽のほどは定かではない。

ペルシア人の側からすれば、ふりかかった一連の敗北は、戦意喪失や臆病のためなどではありえなかった。同じころ帝国内のバビロニアの地で激しい反乱がおこっており、戦略を練りなおしたクセルクセスはペルシア軍を率いてバビロンに向かった。やがて、反乱軍を鎮圧し、その地を平定する。中央の帝国権力にとって、西端の小アジア沿岸地域などよりもバビロニアははるかに重要であり、それだけにその地の秩序維持には断固として臨むべきことだった。

それとともに、ペルセポリスの建設事業を完遂《かんすい》させることにクセルクセスは熱意をそそぐ。なによりもダレイオス大王から継受したペルシア帝国の威光を世に広く知らしめねばならなかった。それを示唆する王室碑文や考古学遺構は少なからず残されている。

さらにまた、宗教面に注目すると、ペルシア国王と最高神アフラ・マズダとの絆がますます深まっていくかのようだった。アフラ・マズダはなによりも知恵の神であり、現世を生き抜く知恵にもとづく正義を実現するという。それによって王権が世俗の人々に認められるように配慮されたのだろう。

寛容な世界帝国の余命

小アジアのエーゲ海沿岸と島々はイオニア地方とよばれ、そこにはギリシア人が住んでいた。それ以外にもペルシア帝国の内部に居住するギリシア人もめずらしくなかった。落ちぶれた僭主ヒッピアスのように、亡命者たちはペルシアの援助を後《うし》ろ楯《だて》にしてギリシアの母国に復帰しようとしたり、戦乱に巻きこまれて東方に逃げた医者や技術者などはペルシア帝国でも重用されたりした。また、傭兵《ようへい》としてペルシア軍で働き、なかには士官になる者もいた。サラミスの海戦で輝かしい勝利をおさめた名将テミストクレスは、戦後の政争に敗れてペルシア宮廷に亡命したが、その背景にはペルシアに残留するギリシア人が少なからずいたこともあった。

しかし、クセルクセス軍の敗退後、イオニア地方の諸市の多くがペルシアから離脱している。このために、ギリシア側からすれば、クセルクセス治世末期以降、ペルシア帝国の衰退が始まったとする見解が後を絶たないのだ。このころからアケメネス朝の王位継承をめぐる対立が激しくなっていることもある。じっさい、クセルクセス王は、晩年、王位継承候補の王子との揉《も》め事から、暗殺の憂き目にあっている。このように宮廷内の混乱こそがペルシア帝国の衰退に拍車をかけたとしばしば断罪されるのだ。

ペルシセポリスの北方、ナクシェ・ロスタムには、クセルクセスらアケメネス朝の４人の大王の墓がある

たしかに、それは歴史の一面ではある。王と貴族の関係は緊密であったというが、地方の総督のなかには離反する者も少なからずいた。それとともに、服属民のなかには、ペルシア人の支配に反感をいだく人々もいた。なかでもエジプトをめぐっては、前五世紀末から半世紀以上にわたってペルシア人の覇権がおよばなかった。

しかしながら、クセルクセス王の死後、一世紀以上もの期間アケメネス朝は存続し、ペルシア帝国に君臨することができたのである。言葉を換えれば、もし前四世紀後半に、西方からアレクサンドロス大王の率いるマケドニア・ギリシア遠征軍が勢いよく支配領域内に侵攻しなかったならば、アケメネス朝の威光はさらにつづいていたかもしれないのだ。だから、衰退を問うよりも、むしろ存続について思いをめぐらすのが理にかなっているのではないだろうか。

王宮内部にあっては、王家暗殺事件や王位簒奪事件がしばしばおこっており、帝国の中枢が麻痺《まひ》するようなところがなかったわけではない。だが、それは目立つにしても皮相な舞台上の出来事であり、その背後には帝国全土に広がる社会があったことは忘れるべきではない。

ペルシア人は圧倒的な軍事力にもとづく政治支配上の特権を維持していたのであり、その事情にそれほど変わりはなかった。その立場にあって、服属民の領土と住民に担わせた貢税《こうぜい》からその利益の大半を確保するのであった。その一方では、服属民の諸文化、諸言語、諸宗教になるだけ介入せず、それらの多様な姿を尊重し存続させるのだった。少なくとも力ずくで強制することなく、巧妙に統治する術を心得ていたのだろう。

前四六五年のクセルクセスの死後、ペルシア帝国は、ギリシアに対して、直接に介入するよりも、ギリシア諸都市の内紛に乗じて、金銀・財貨を用いながら陰に陽にその影響力を保持しようとした。じっさい、ペルシア戦争後のギリシアでは、オリエント・ペルシア文明の豪華と豊饒《ほうじょう》に目が開かれ、アテナイを中心とするギリシア諸都市は大きな飛躍をなしとげている。

それにともなって、ギリシアとは外交折衝を重ねて和平協定を結び、武力によらない和平外交の基本姿勢で臨んでいる。その結果、前五世紀末から半世紀近く王位にあったアルタクセルクセス二世の治世に、前三八六年、「大王の和約」とよばれる平和情況が生まれている。これは、ギリシア諸都市の戦争を大国ペルシアの介入で終結させ、ギリシア人にペルシアの覇権を認めさせるものだった。戦争では得られなかったものが外交によって実現されたとも言える。

名君アルタクセルクセス二世

アルタクセルクセス二世は、帝国内の反乱や独立運動でも、武力による鎮圧よりも宥和政策で臨んだ。そのために、紆余曲折《うよきょくせつ》を経ながらも、最終的には平定されることになった。このような王の対外・対内における和平への努力は、勇者を重んじがちな古代にあっても、高く称賛されている。こうして、アルタクセルクセス二世はダレイオス大王と並ぶアケメネス朝の名君としてペルシア・イラン人の脳裏に刻まれたという。

このようにして見ると、ペルシア帝国の時代には、およそ二百年にわたってまがりなりにも平穏な状態がつづいた。やがて宮廷政治の弊害があらわれ、中央の統制が弛緩《しかん》しがちになったことは否めない。しかし、広大な支配領域内において寛容な支配体制下に新しい世界秩序が生まれたのだ。それは、ペルシア語のみならずアラム語を公用語として採用し、異なる人々の間でも意思の疎通をはかるというところに典型的である。そこには新しい世界文化というものが形づくられ、その広大な文化圏に国際交流が開ける土壌となる。少なくともユーラシア西部においては、ペルシア帝国によって世界秩序がつくられ、そのなかで新しい文明が生まれていくことになる。

ペルシア帝国の支配体制によって、古代人は、広大な地域を統治し管理することは不可能ではないと思うようになっただろう。のちのローマ帝国はこのペルシアの試みから多くのことを学んだにちがいない。もし、前四世紀後半に野望に燃えるアレクサンドロス大王が東征しなければ、ペルシア帝国は生きながらえただろうか。おそらく分裂の危機をはらみながらも、王朝の交替ほどでペルシア帝国の余命はまだつづいたのではないだろうか。それは寛容な世界帝国というモデルの長所でもあり弱点でもあったのだ。

第四章

神々の沈黙と「枢軸時代」

オルペウスと鳥獣のモザイク画。3世紀。トルコ、タルソス出土。松川裕撮影

1　預言者たちとユダヤ教

文明誕生から二〇〇〇年以上を経て

人類の歴史となると、長大なものになるが、文明の歴史であれば、たかだか五〇〇〇年しかないのだ。そもそも文明なるものは文字とともに生まれたからだ。地球上に文明が最初に現れるのは、大西洋と太平洋という二つの大きな海洋に挟まれたユーラシア大陸であった。そのなかでもオリエントとよばれる西アジア地域において、メソポタミア文明とエジプト文明が登場する。それから数百年遅れて、南アジアにもインダス文明とよばれる都市文明が姿を現した。さらにまたやや遅れて、東アジアでは黄河・長江流域に、最古の文明が生まれている。

それらの最初の文明から降ってみると、前一千年紀前半には、古来のオリエント文明の影響を被《こうむ》りながら、いくつかの文明が世界史の舞台に姿をみせる。東地中海沿岸地域には、メソポタミアとエジプトに挟まれたシリア・パレスティナが独自な文明を形成する。さらには、オリエントの西方にあるバルカン半島南部とその周辺に散在する多数の島々にも、ギリシア人の文明が栄えていた。彼らのなかには小アジア西部にも移住し、その沿岸地域にも数多くのギリシア人の集落が散在した。さらにまた、メソポタミアの北東方にあるイラン高原にはペルシア人の文明が開花しつつあった。

このころでは文明の誕生から二〇〇〇年以上が流れ去り、一世代二〇年とすれば一〇〇世代以上が過ぎてきた。この歳月に、古代の人々は幾多の経験を重ねながら、その心にさまざまな印象を刻んできた。それらの重層模様は古代人の心に何ほどかの変容をもたらさなかっただろうか。

東地中海世界での人類史の大転換

なにはともあれ、前一〇〇〇年前後数百年の東地中海沿岸地域に目を向けながら、第一章で述べたことを繰り返しておきたい。そこにあっては、緩やかでありながら鮮やかに刻まれる大きな変容が、三つほどあったのではないだろうか。

まずは、アルファベットの開発である。おびただしい文字数の楔形文字やヒエログリフ（聖刻文字）に比べて、二十数文字で言葉を記すアルファベットは人類最大の発明とまで言われるほどだ。これによって多くの人々に読み書きできる可能性が生まれたのである。そもそも原カナン文字として生み出されたアルファベットは、フェニキア文字として安定した表記になった。やがて、それは、アラム文字、ヘブライ文字、ギリシア文字などのアルファベットとして近隣の諸地域に拡散して受け継がれていった。

次には、一神教が登場したことが注目される。おそらく天地の自然界のなかに超越した存在として神々をあがめるというのが、古来いずこにもある宗教の始まりではないだろうか。山、川、泉、湖、海はいうまでもなく、樹木や草花あるいは動物のなかにまで、うかがい知れぬ力を感じる人間は、それらを神々として怖れうやまう心を自然にはぐくんできた。その長い経過のなかで、いつしか唯一絶対の神がいるという思念がめばえる。キリスト教やイスラム教などの一神教を知る現代人のわれわれには思いがけないことかもしれないが、「唯一全能の神」という観念をいだくということは、きわめて異例の、あるいは不自然な心の営みではないだろうか。エジプトにおけるアクエンアテンの唯一神信仰、あるいはモーセにさかのぼる民族宗教としてのユダヤ教は、長大な人類史のなかでは異常な出来事だったかのようだ。

最後に、硬貨あるいは貨幣の使用が目につく。オリエントでは古くから金属の秤量《ひょうりょう》貨幣が用いられていたらしい。前七世紀頃から、小アジアのリュディア周辺で、金属の純度と重量を公権力が保証する硬貨《コイン》が登場し、定量貨幣として商業活動の中心となった。最初期は、単純な打刻だけの粒塊であり、前六世紀頃から、ギリシア系のポリスやアケメネス朝ペルシアでも、神々や発行者などを打刻した硬貨が出回るようになる。貨幣は、まずは価値尺度および支払い手段として、地域内および地域間の取り引きや交易において、画期的な役割をはたすようになる。

このようにして古代史の概略をたどっていくと、アルファベット、一神教、貨幣という新しい形が登場する背景には、なにか共通する土壌があるのではないか、と思わざるをえない。一見するところ、それは「単純化」「普遍化」とでも言える世界の変容だったのではないだろうか。

数百・数千の文字数が三〇足らずに凝縮され、数多くの神々が唯一神に統合され、物や奉仕が同一の基準で計られるのだ。この「単純化」の進展は、何処《いずこ》であれ何時《いつ》であれ実践できるのだから、誰もがふれやすい「普遍化」の力をともなっていたにちがいない。

人類の文明が多様になり複雑になればなるほど、その頂《いただき》にいたる時点で、それらは単純簡素で一様になりわかりやすくなる、そのような動きが生じるのかもしれない。なぜそのような動きが出てくるのだろうか。それはおそらく人類が目の前にある世界を理解しようとするからではないだろうか。

多様で複雑であればあるほど、それを理解することは難しくなる。もとより意識していたかどうかにかかわらず、人々は世界をわかりやすい形で理解しやすくするのだろう。それは人間の認識能力につきまとう宿命であったにちがいない。

その営みは、ある意味では、きわめて自然な成り行きであった。だが、そこには人類史の大転換ともよべるような事態がおこっていたような気配がある。しかも、その舞台となるのは、東地中海世界という地域できわだっており、さらにまた、前一〇〇〇年前後の数百年間にかぎられた期間であった。

それにともなって、物資のみならず人々や情報の交流が頻繁になり拡大していく。そのような流動のなかで、社会の人間関係のあり方も古来の伝統が崩れ、新しい関係の絆が人々の観念や意識をも変えていくことになる。

「神々のささやき」の痕跡としての神話

古代人にとって、神々は確かにその声でささやきかけてくる存在だった。本シリーズでは、すでに第一巻で述べたように、こうした神の声を幻覚や錯覚として斥《しりぞ》けるのではなく、古代人の「心の現実」としてとらえる「心性史」の立場をとってきた。

この立場からすれば、前一千年紀を迎えたころから、神々は沈黙しだすかのように感じられる。人間の心のなかでは、神々のささやきが耳に届かなくなっていくのだ。もちろん、このような事態を示唆することはできても、それを実証することなどできはしない。しかしながら、このような神々の沈黙に対応していく人間の姿であれば、それらを例示することはできるのではないだろうか。

神々が個々別々に語る機会が少なくなれば、一様で普遍的な意識がめばえるのだろうか。このような出来事の単純化が広大な地域を包みこむ「世界帝国」に適応していたかのように現れたとしたら、きわめて興味深いことである。

「神々のささやく世界」の痕跡を残すものは、なによりも「神話」ではないだろうか。古来、数え切れないほどの世代を重ねながら、目の前に存在する世界・自然・宇宙を理解しようとする人間がいた。彼らは超自然の背後に神々がいると信じていたし、さまざまな喜怒哀楽のともなう人生の実感をもっていたにちがいない。

これらの営みが人々の集団社会でお互いに触発されて火花をちらし、神話がつむがれるのだ。古来の神話は、無邪気《むじゃき》な空想から生まれたものでもなければ、超自然的に神から直《じか》に教示されたものでもない。おそらく人間の欲求や実感が混ざり合ってふくらみながら、自然に神話が生まれたのである。

このような世界に生きていた人々には、この世の成り立ちが神話によって説明されれば、いかにも納得できることだった。彼らは神々を肌身《はだみ》に感じていたし、ときには神々のささやく声が聞こえることもあったからだ。

ところが、いつのころからか、これらの神々のささやきが届きにくくなり、遠ざかって消え去ってしまう。神々は沈黙したのだ。このとき、人々は古来の神話による説明だけでは満足できなくなり、目の前にある現実の世界や自然をなんとしても解釈しなおし理解しようとするのではないだろうか。それは切実な問題として身近に迫っているのだった。

混迷のパレスティナに預言者が登場

前一千年紀初め頃の東地中海沿岸地域に目をやると、そこは勢いのある覇権大国ではなく、小国が分立割拠《ぶんりつかっきょ》する混迷の時代であった。とりわけ、古代シリアの南西部にあるパレスティナには、セム語系のカナン人、東から侵入していたヘブライ人あるいはイスラエル人、謎の海洋遊牧民「海の民」の分派であるペリシテ人などが入り乱れていた。ちなみに、パレスティナという地名そのものが、この「ペリシテ人の地」に由来することは今日では常識である。

ヘブライ人あるいはイスラエル人の勢力は、ダヴィデ王とソロモン王の時代にイェルサレムを中心に繁栄していた。だが、すでに前一〇世紀末には、その王国は北のイスラエル王国と南のユダ王国に分裂してしまう。

前九世紀になると、アッシリア人の勢力が、鉄製の武器と戦車を装備し、新たに騎馬隊も組織して拡張しはじめる。やがてアッシリア人の強大な覇権はシリアやパレスティナにまでおよび、前八世紀末にはイスラエル王国を壊滅させ支配下におくまでになった。

この前九〜前八世紀のオリエントの動乱期に、混迷を深めたパレスティナの地には預言者とよばれる人々が登場する。預言者はヘブライ語ではナービーというが、「呼ばれた者」の意である。もちろん神によって呼ばれるのである。

わずか二〇〇年ばかりの短いあいだに、これらの預言者が次々と現れているのだ。これらのなかでも、最古期にあたる前九世紀半ばに登場したのがエリヤであった。イスラエル人が唯一神を奉じる民としてまだ定かなまとまりにならない時期に、エリヤはすべてをヤハウェに期待したのである。カナン人のバアル神信仰などにからめとられないように断固とした姿勢を貫くのだった。イスラエル人のヤハウェ信仰が消滅するかの瀬戸際にあって、その危機を乗り越えるのを使命としたのである。旧約聖書のなかで次のように語られている。

見よ、そのとき主が通り過ぎて行かれた。……静かにささやく声が聞こえた。それを聞くと、エリヤは外套《がいとう》で顔を覆《おお》い、出て来て、洞穴《ほらあな》の入り口に立った。そのとき、声はエリヤにこう告げた。「エリヤよ、ここで何をしているのか。」エリヤは答えた、「わたしは万軍の神、主に情熱を傾けて仕えてきました。ところが、イスラエルの人々はあなたとの契約を捨て、祭壇を破壊し、預言者たちを剣《つるぎ》にかけて殺したのです。わたし一人だけが残り、彼らはこのわたしの命をも奪おうとねらっています。」(「列王記」上、一九・一一－一四)

ここで、エリヤは多くのイスラエル人がバアル神に跪《ひざまず》き、主たる神ヤハウェをないがしろにしていることを嘆く。イスラエル人にふりかかった数々の苦難はこれらの不信心者への神の罰にちがいなかった。その窮地《きゅうち》からの解放を求めて、エリヤはひたすら神に祈る。

神々の声が聞こえなくなっていく時代に、エリヤには力強い神のささやく声が聞こえる。それを頼りに、エリヤは突き進む。ほとんどの人々に神々の声が聞こえないのだが、ときおりエリヤにはまだ神ヤハウェの声が聞こえるのだ。それは混迷をきわめる時期に、進むべき道を模索するエリヤの内なる声だったかもしれない。

神話のなかにただよっていれば、物事は自明であり、安らぎのなかにあっただろう。しかし、神々が沈黙し迷妄の霧が降りかかってくると、もはや神話のなかに安住することはできない。預言者たちは、神をめぐる思惟《しい》を深めるなかで、非神話的になっていくほかなかったのだ。

この世はどのようにできているのか、神々あるいは神は人間の世界にどのように関わるのか、人類の運命はどうなるのか、なぜ人間には災厄や艱難辛苦《かんなんしんく》がふりかかるのか、人間はどこまで許されるのか、などの根源となる問いが人々の心に去来する。とりわけ、人間の限界を深く自覚しつつある人には、とりついて離れない問題だった。

アモスによる破滅の予告

前八世紀半ばには、アモスが登場する。彼は家畜の群れを追っていたところ、主に「行って、わが民イスラエルに預言せよ」と言われたという。さらに、アモスは警告して語る。

まことに、主なる神はその定められたことを
僕《しもべ》なる預言者に示さずには
何事もなされない。
獅子《しし》がほえる
誰が恐れずにいられよう。
主なる神が語られる

誰が預言せずにいられようか。(「アモス書」三・七－八)

アモスは、裁きの公正さが失われ、首都の住民が贅沢《ぜいたく》にふけり、神ヤハウェに従おうとしないことを嘆く。そればかりか、いたずらに祭儀を重んじて犠牲ばかりを捧げていることを危惧するのだった。彼はイスラエル人と王国を非難し、差し迫る破滅を予告する。

預言者としてのアモスは神の声に従って広く民に語りかけるが、そこにはもはや神の救いを期待するだけではすまないという思いがある。なぜ、このような窮地におちいったのか、そこから抜け出すにはどのように考え行動すべきか、その現実に目覚めるにつれて、アモスはこの世の神話的説明に満足するわけにはいかなかった。

彼は神ヤハウェの告げる言葉としてイスラエルの人々に警告する。

地上の全部族の中からわたしが選んだのは
お前たちだけだ。
それゆえ、わたしはお前たちを
すべての罪のゆえに罰する。(「アモス書」三・二)

だから、誠心誠意のともなわない儀礼だけの祝祭などは余計なものであり、そんなことにかまけるのは無駄なのだ。

お前たちの騒がしい歌をわたしから遠ざけよ。
竪琴《たてごと》の音《ね》もわたしは聞かない。
正義を洪水のように
恵みの業《わざ》を大河のように
尽きることなく流れさせよ。（「アモス書」五・二三－二四）

ここでは、騒々しいだけの形ばかりの祝祭が斥《しりぞ》けられたばかりか、「正義」や「恵み」のごとき心の在《あ》り様《よう》に焦点が当てられるようになっている。そこには人間の心性の歴史を考えるにあたって、なにか大きな変容があった気配がする。もっとわかりやすく言えば、「精神的な存在」としての人間がことさら注目されてきたのではないだろうか。

19世紀の画家、ギュスターヴ・ドレが描いた預言者アモス

心の姿勢を問うイザヤの預言

　このような心の在り様の変容は、前八世紀後半にあって、イザヤが召命されたことで、さら

に鮮明になる。神ヤハウェは罪深く悔《く》い改めようとしない民を罰するために審判を下す、それは預言者イザヤには確信できることだった。アッシリアの支配にどのように対処するにせよ、イスラエル人の王と民は、その信仰によってのみ、存続することができるのだ。主なる神はこう告げる。

わたしは一つの石をシオンに据《す》える。
これは試みを経た石
堅《かた》く据えられた礎《いしずえ》の、貴《たっと》い隅《かしら》の石だ。
信ずる者は慌てることはない。
わたしは正義を測り縄《なわ》とし、
恵みの業《わざ》を分銅《ふんどう》とする。(「イザヤ書」二八・一六－一七)

ここでも「正義」と「恵み」という心の姿勢が問われている。アッシリアに従順であれ反抗するであれ、そのような政治的判断でイスラエルの民の運命が左右されるわけではない。ただひたすら神ヤハウェをあがめ、その約束に従って忠実に行動することが肝要であるのだ。

前七世紀後半になると、預言者エレミヤが登場し、事態はさらに緊迫していく。イザヤによって予知されていたアッシリア帝国が滅亡し、まぎれもなく小国分立の混乱期だった。イェルサレムの存亡をめぐる混迷が深まり、やがてイスラエル人の都は陥落されてしまう。いわゆる「ユダヤ人のバビロン捕囚」が始まるのだ。

エレミヤは、なによりも信仰の敬虔《けいけん》さにおいて、成熟の極みをなしているかのようである。神の召命にあずかる者は人格のすべてにおいて服従しなければならないのだ。エレミヤに臨んだ主の言葉である。

イスラエルの神、万軍の主はこう言われる。お前たちの焼き尽くす捧げ物の肉を、いけにえの肉に加えて食べるがよい。わたしはお前たちの先祖をエジプトの地から導き出したとき、わたしは焼き尽くす献げ物やいけにえについて、語ったことも命じたこともない。むしろ、わたしは次のことを彼らに命じた。「わたしの声に聞き従え。そうすれば、わたしはあなたたちの神となり、あなたたちはわたしの民となる。わたしが命じる道にのみ歩むならば、あなたたちは幸いを得る。」（「エレミヤ書」七・二一－二三）

罪を癒す新たな契約

たとえ苦難が襲いかかろうとも、神のために献身しきることが求められる。それを身に引き受け耐えるところに、なによりもエレミヤの敬虔さがある。

ああ、わたしは災いだ。
わが母よ、どうしてわたしを産んだのか。
国中でわたしは争いの絶えぬ男

いさかいの絶えぬ男とされている。
わたしはだれの債権者になったことも
だれの債務者になったこともないのに
だれもがわたしを呪う。
主よ、わたしは敵対する者のためにも幸いを願い
彼らに災いや苦しみの襲うとき
あなたに執《と》り成しをしたではありませんか。(「エレミヤ書」一五・一〇―一一)

エレミヤは、ここで自分を産んでくれた母さえも恨みたくなるほどの苦悩にさいなまれている。預言の言葉を通じて神の導きがあるというのに、人々は誰も耳を傾けようとしない。だが、自分の心にあざむかれるままに偽りの預言をなす者も後を絶たないのだから、真偽のほどを冷静に区別するのは難しい。それればかりか、災いすらもたらすことになる。そこでは、偽りの預言をなす者もそれを信じる者も、罪を犯すことになるのだ。

このような罪という観念の内実が、エレミヤにあっては、かつてなかったほどに明晰になる。

この悪い民はわたしの言葉に聞き従うことを拒み、かたくなな心のままにふるまっている。また、彼らは他の神々に従って歩み、それに仕え、それにひれ伏している。(「エレミヤ書」一三・一〇)

お前たちは先祖よりも、更に重い悪を行った。おのおのそのかたくなで悪い心に従って歩み、わたしに聞き従わなかった。（「エレミヤ書」一六・一二）

重い悪をなす者の罪とは「かたくなな心」であり、悪に馴《な》らされているという病のごときものなのだ。この病を癒《いや》すことは、主たる「わたしがイスラエルの家、ユダの家と新しい契約を結ぶ日が来る」ことでしか実現されないという。それがエレミヤの預言である。

しかし、来《きた》るべき日に、わたしがイスラエルの家と結ぶ契約はこれである、と主は言われる。すなわち、わたしの律法を彼らの胸の中に授け、彼らの心にそれを記す。わたしは彼らの神となり、彼らはわたしの民となる。（「エレミヤ書」三一・三三）

ここで神の律法は民の「胸」に授けられ、「心」に記されるのである。重要なことは、書かれた文書ではなく、胸や心に刻まれる声の言葉としての新しい契約なのである。この「新しい契約」をめぐって、旧約学者のなかには、その重大さを疑問視する向きもある。だが、罪を理解して自覚し終末を待望するという思念は、かなり斬新《ざんしん》なものである。内実に目を向けるエレミヤに独自な境地が開かれたと見なすべきではないだろうか。

神からみずからに向けられたまなざし

ところで、旧約聖書は、人間の心のなかから「なにか」が失われ、それに代わる「なにか」を探し求める物語の記録として読めるのではないだろうか。そのおぼろげに感じとられる「なにか」とは心性にかかわる問題であるだろう。それには先賢《せんけん》の示唆するところが大いに参考になる。

二〇世紀の社会学・歴史学に大きな影響をもたらしたマックス・ウェーバーは名著『古代ユダヤ教』の最後を次のように締めくくっている。

いまやかれら（ユダヤ人）は、かれらじしんの側で思想や感情を語りはじめ、またかれらの敵たちとは異なるヤハウェの選びの民であることを感じはじめる。われわれの資料のなかでかれらの宗教的気分をもっとも明瞭に表現している場所、それは詩篇である。（内田芳明訳）

律法や預言ではない聖文集の一つである「詩篇」は一五〇編にのぼるが、そこで主旋律《しゅせんりつ》を奏《かな》でるのは、神から見捨てられた者の嘆きと哀願《あいがん》である。それは個人であれ民族であれ、困窮《こんきゅう》と艱難《かんなん》のなかにおとしめられた人間の叫びでもある。神はなぜわれわれのもとを去ってしまったのか、あるいはすべての支配者たる神がなぜわれわれに不運をもたらすのか、「詩篇」の作者たちは天に向かって問いかけずにいられなかった。そこにはもはや「なにか」を失った者たちの叫び声がある。

神よ、わたしを憐《あわ》れんでください

御慈《おんいつく》しみをもって。
深い御憐《おんあわ》れみをもって、
　背《そむ》きの罪をぬぐってください。
わたしの咎《とが》をことごとく洗い
罪から清めてください。（新共同訳「詩編」五一・三－四）
彼らは愛すべき地を拒み
御言葉《みことば》を信じなかった。
それぞれの天幕でつぶやき
主の御声《みこえ》に聞き従わなかった。
主は彼らに対して御手《みて》を上げ
荒れ野で彼らを倒された。
子孫は諸国の民に倒され
国々の間に散らされることになった。（「詩編」一〇六・二四－二七）

わたしたちの神、主よ、わたしたちを救い
諸国の中からわたしたちを集めてください。
聖なる御名《みな》に感謝をささげ

あなたを賛美し、ほめたたえさせてください。（「詩編」一〇六・四七）

これらのイスラエルの人々（あるいはユダヤ人）は、なぜ神から見捨てられたと感じているのだろうか。オリエントの列強の圧力に虐げられながら、なお選ばれた民として神の救いを希求したというのは、歴史の表面に浮上する姿でしかない。

古代世界に生きる人々にとって、神々は人間の所業に関心をもっていなかった。というより、少なくとも人間の所業の善し悪しには無関心であったというべきだろう。もし人間に災厄《さいやく》がふりかかるのであれば、それは神々にお定まりの祭儀と犠牲を決められた通りに奉じなかったからである。しかし、ユダヤ人のあがめる神は、人間の所業ばかりか人間の想念のなかにすら立ち入ってくる。目にすることのできる外界のみならず、内なる世界にも干渉するのである。

古代人はそれまで神々の声を聞き、神々の息吹を感じていたにちがいない。神々はいつも身近におり、ときには姿を現すことさえあった。ところが、ある人々のなかには、意識に裂け目が生じ、それとともに神々の声も姿も失われてしまった。神々はもはや一言もささやかず、まして姿を見せることなどありえなかった。しかし、その裂け目から、ぽっかり首をもたげ身を出すものがあった。それは眼光をきらきらさせながら、こちらを見つめているのだ。あえていえば「みずからに向けられたまなざし」というようなものである。

ユダヤ教を成立させた喪失感と救済への期待

混迷と危機が深まれば、寄る辺《よるべ》ない人々は神々の喪失を嘆かざるをえない。なぜ神々は人間を見放されたのか、とみずからに問いかけるしかない。じつのところバビロニアの『神義論』のなかにも、不運な宿命のめぐりあわせを問いかける意識がちらついている。


自分の神を求めない人間が幸運への道を進み、
自分の女神に心から訴えかける人間が貧困と悲惨を分担する。

私は若いときから私の神の意志を追い求めてきた。

私は私の女神の前に恭《うやうや》しく平伏しながら従ってきた。

私は報われることのない奉仕の頸木《くびき》に耐えてきた。

だが私の神は裕福の代わりに困窮を私に割り当てた。

ごろつきが出世して、私はまったく軽んじられている。（W.G.Lambert, *Wisdom*, 63f.:70f.:243f.）

この世に何が起こっても神々はまったく関心がない。だから、ふりかかる不幸は宿命のごとく受けいれなければならない。それにもかかわらず、やがて神々がそこから救い出してくれるのを懇願する人々もいた。

ここにあるのは他人と比べた自分の不運であるが、そこから旧約聖書の「詩篇」にいたる道程は近いようでかなり遠い。なぜなら「詩篇」の嘆きは絶望的でありながら救済の確信にあふれているからである。そこには思索し苦悩する人間の姿がおぼろげながら浮上するかのようである。

涸れた谷に鹿が水を求めるように
神よ、わたしの魂はあなたを求める。
神に、命の神に、わたしの魂は渇く。
いつ御前《みまえ》に出て
　神の御顔《みかお》を仰ぐことができるのか。
昼も夜も、わたしの糧《かて》は涙ばかり。
人は絶え間なく言う
「お前の神はどこにいる」と。（「詩編」四二・二―四）

万軍の神、主よ、あなたの民は祈っています。
いつまで怒りの煙をはき続けられるのですか。
あなたは涙のパンをわたしたちに食べさせ
なお、三倍の涙を飲ませられます。
わたしたちは近隣の民のいさかいの的とされ
敵はそれを嘲笑《あざわら》います。
　万軍の神よ、わたしたちを連れ帰り
御顔の光を輝かせ

わたしたちをお救いください。（「詩編」八〇・五―八）

このような神々の喪失感と救済への期待感とは、苦難の民イスラエルにこそふさわしいものであった。果てしない艱難辛苦は人々にみずから思い悩む意識を突出させるのである。もはや神々の声は聞こえなくなり、神格は人間の手の届かない超越した存在となってしまう。唯一神をあがめる宗教の確固たる集団が姿をあらわすのだ。それがユダヤ教という一神教の成立である。

2　イラン高原の宗教運動――ゾロアスター教

預言者ザラスシュトラの思索

前一千年紀前半のオリエント世界には、アッシリア帝国とそれにつづくペルシア帝国が君臨した。さまざまな民族が世界帝国の普遍的な覇権の下にあったので、旧来の民族神や部族神をあがめる意識から抜け出しつつあった。オリエント世界において、この種の飛翔の動きとして、一つは前述したイスラエル人の預言者たちに見てとることができる。もう一つはイラン高原における預言者ザラスシュトラの宗教運動である。この人物はギリシア風の呼称ではゾロアスターとして知られている。

前四世紀、ギリシア人がイランの祭司団から聞いたところでは、ザラスシュトラ（ゾロアスター）は二百年前に生存していたという。旧約聖書の預言者たちが活躍していたころとほぼ同時代であっ

ヴァチカンの「アテネの学堂」には、ザラスシュトラといわれる人物が描かれている。中央の髭の人物。ラファエロ画

た。だが、さらに数世紀前までさかのぼると考えられることもあり、確かな活動の年代は不明である。

古来のイラン高原の人々は神々の世界の頂点にミトラをあがめていた。もともと契約の神であったというが、日の出の神、太陽神、生命を与える神、そして戦いの神でもあった。真っ暗な穴倉《あなぐら》のような場所で開かれる密儀には、血なまぐさい牡牛《おうし》の供犠《くぎ》と飲酒による狂乱の祭礼がともなっていた。これらの背景には、戦士たちを中心とする社会がひそんでいた。そのせいで、無頼《ぶらい》の若者たちのなかには、徒党を組んで家畜を略奪したりする者もおり、不埒《ふらち》にも庶民を殺戮《さつりく》したりする者すらいたという。このような無秩序が横行すれば、当然ながら、人々は恐怖におびえ混乱にあえいでいた。

さかのぼれば、アーリア人ともよばれる印欧語系の人々は、前二千年紀には、インドとともにイラン高原にも進出している。インドでは先住民を征服しカースト制度の身分社会をつくったが、イラン高原では先住民に同化吸収されてしまったという。そのころ鉄器と騎乗術が急速に普及していたので、新たな戦士団が形をなしつつあった。旧来の因襲《いんしゅう》はすたれ、秩序のない社会は混乱するばかりだった。

イラン高原に住む人々は、おそらく原始アーリア民族としての宗教をもっていた。彼らには古い教典「アヴェスター」が伝わっていたが、インドに残された讃歌「リグ・ヴェーダ」と共通するものがあったという。その教典のなかでも、「ガーサー」とよばれる伝承は預言者ザラスシュトラの説教として知られる。もともと、これらインド・イラン人の共有していた伝統的な宗教を改革した人物がおり、それがザラスシュトラであったという。

前一千年紀前半の混迷にみちた世に生まれ、人々の苦難のすさまじさを見るにつれ、ザラスシュトラは心をなやませていた。青年時代から、この世の正義に思いをはせ、善悪の葛藤《かっとう》をめぐって思索を深めたのである。ある朝、川辺で聖霊が現れ人生でもっとも大切なものは何かとたずねられたとき、ザラスシュトラは「知恵を得るために正義と清浄に心がけている」と答えたという。このような求道者には古来の宗教は放縦《ほうじゅう》で堕落《だらく》したものにすぎなかった。供犠を行ったり呪文をつぶやいたりするだけの祭祀《さいし》をはげしく非難し軽蔑したのである。そこで預言者は「ガーサー」の一節を直伝する。

では、わたしは説ききかせよう。さあ、耳を傾けよ、さあ、聞けよ。
御身《おんみ》ども近くから、はたまた遠くから願《ねがい》もとめている者たちよ。
さあ、かの方を、みなの者たちよ、心にとどめよ。明らかに見えてましますぞ。
第二の世を邪師《じゃし》に破壊させてはならぬ。
彼はその舌による、邪悪な信条選取のゆえに、不義者と論告された者。

では、説ききかせよう。世の始元《しげん》の二霊を。

それらのうち、より聖なる方は邪悪な方に、こう言った。
「われら両者の思想がそうでなく、言説がそうでなく、意思がそうでなく、信条選択もそうでなければ、ことばもそうでなく、行為もそうでなければダエーナーもそうでなく、魂も一致していないのだ」と。(「ヤスナ」四五・一—二 伊藤義教訳)

ここでダエーナーとはアヴェスター語で「ヴィジョン、教え」の意である。ザラスシュトラには真の神は唯一のものであるという確信があった。その神とは叡智《えいち》と光明の創造神アフラ・マズダであり、善を実現する。しかし、混迷の世にはこの光と善をふみにじる闇《やみ》と悪の霊力が対立するのである。善には正義、秩序、美がよりそい、悪には邪悪、虚偽、憤怒《ふんぬ》がともなっていた。人々は善意と愛情にあふれ結婚し子供を育て仕事に勤《いそ》しめば、救済にあずかることができるとザラスシュトラは説く。しかしながら、古来の伝統ある宗教の護《まも》り手である祭司たちはザラスシュトラの活動を快く思わなかった。そのために、預言者は逃亡せざるをえなかった。

いずれの地に逃げたらいいのか、どこに行ったらいいのか。私は家族からも一族からも疎《うと》んじられてしまった。村人も不義なる族長たちも、私に友好な態度を示さない。(「ヤスナ」四六・一)

彼の嘆きは深い。やっとのことで、ある族長のもとに身を寄せ、この有力者に彼の説教に耳を傾けさせることができた。ほどなく、この族長はザラスシュトラを友人と見なし、庇護者《ひご》としたという。

宣教する預言者は仲間や弟子の一団に囲まれており、彼らは「貧者」「友」「知者」「同盟者」などの名前でよばれていたという。

悪しき者への罰と善き者への報賞

ゾロアスター教は、しばしば、善と悪とが対立する二元論の宗教と言われることがある。しかし、その教えるところは、闇と悪を排除し、光と善を実現する唯一の神である。善を推進しようとする途上には、魂における善と悪との葛藤があるが、正義に従った者だけが救済される。というのも、それらの者こそ死後の最終審判において天国に行くことができるのだ。だから、ザラスシュトラは悪しき者への罰と善き者への報賞について、ことさら関心をもっていたという。

悪しき不義者のためにその王国を富強にしてやる者には、どのような天罰が下るのですか。（「ヤスナ」三二・一五）

いつわたしは知るのでしょうか、わたしを滅ぼそうと脅《おびや》かす者を、マズダよ、天罰によってあなたが制圧するかどうかを。（「ヤスナ」四八・九）

ザラスシュトラにとって、なによりも気がかりなのは主たる神の意向である。

それを明確に知ろうとするのだが、預言者はためらったり、とまどったり、へりくだったりしながら、どこかに迷いがある。

あなたは何を命じられるのですか、讃美や神事として何を望まれるのですか。(「ヤスナ」三四・一二)

ときには、悪しき者たちの行いが具体的に語られてもいる。

この酒という汚水を、あなたはいつ打ち倒されるのですか。(「ヤスナ」四八・一〇)

この飲酒という行為そのものを悪しきものとする見方は、かなり特殊なものではないだろうか。もちろん大酒であれば戒《いまし》められるのは広く認められるが、節度のある飲酒なら、喜びや賜物《たまもの》として讃えられるのではないだろうか。後世のイスラム教における禁酒の戒律を思い浮かべると、はなはだ興味深い問題である。

いずれにしろ、ザラスシュトラは古来の祭祀が仰々《ぎょうぎょう》しくなっていることに怒りをおぼえ反対した。預言者の説くところは、信仰の祭儀形式ではなく、信仰の内実であり心の佇《たたず》まいであった。

そこでは、人々は魂を光と善の神に捧げるように求められており、きわめて強い規律と倫理観がひそんでいる。後世からすれば、目新しいことではないにしろ、当時としてはまったく革新的な考え方であった。さらに、ともすれば救済に男女差がありがちだったが、この教えではその差別を考えない点でも革新的であった。

ザラスシュトラの教えは、アーリア系イラン人がこの地に入り込んでくるにつれ、イラン高原全域に広がっていったらしい。前六世紀のペルシア帝国の時代には、富裕な上層民のみならず民衆にも広く信仰されるようになった。

しばしばゾロアスター教は拝火教とよばれるが、この頃ある種の火にまつわる儀式が生まれたからである。それとともに、古来の神々や祭儀が復活して改変される動きもあったという。おそらく古来の遊牧生活の名残が消え去らず、家長の象徴である竈《かまど》の火を尊ぶ慣習がさらに儀礼化されたのであろう。

しかし、祭儀面だけが重んじられたわけではない。なによりも善行によって救済されることが説かれ、そのために信仰者には誠実な心構えをもつことが求められた。唯一神に奉仕することは、なによりも倫理的に生活することでもあった。ゾロアスター教にあっては、これらがますます深く結びついていたことは言うまでもない。

3　汝自身を知れ――人間の魂の発見

ユーラシアの覚醒者たち――ソクラテスから諸子百家まで

ところで、前一千年紀半ばのユーラシア大陸といえば、オリエント地域だけに高度な文明があったわけではない。西方のギリシアも、東方のインドや中国も先進文明地域であった。これらの地域においては、それまでのごとく神話物語のような形で自然や人間を理解するだけではすまなく感じる人々が出てきた。

たとえば、『ギルガメシュ叙事詩』、「洪水伝説」と「ノアの箱舟」、あるいはオリュンポス十二神のような説き語りでは、もはや物足りなく感じる人々がおり、彼らには迫真をもって心に響かなくなっていた。

これらの人々のなかには、身に迫る世界に目をこらし耳をすまして、現実を解き明かそうとする者が現れる。まどろみの薄暗闇《うすくらやみ》の世界に光がこぼれ出すかのように、かすかだが確たる思索の道が開けるのだった。このような中で人間は根源にかかわる問いかけをなすようになる。

これまで神々をあがめる自然宗教や古来の習慣・習俗のなかで生きてきたのだが、その枠のなかではとらえきれない段階にいたったのだ。ギリシアではホメロスから自然哲学者を経て、ソクラテス、プラトンが現れている。インドではウパニシャッド哲学が出現し、仏陀《ぶっだ》が生まれている。中国では孔子《こうし》と老子《ろうし》が生まれ、諸子百家《しょしひゃっか》が雷鳴を轟《とどろ》かせた。二〇世紀ドイツの哲学者ヤスパースは、人類の普遍史としての世界史を考えるとき、この古代の数世紀間を「枢軸時代《すうじくじだい》」という基軸概念でとらえられないかと提唱している。

ギリシア最初の哲学者タレス

そこで、世界の文明史という観点に立ち、西洋と東洋の枢要な各地について、いささか立ち入ってこの問題を考えてみたい。まずとりあげるのは東地中海世界のギリシアである。

ギリシアの「枢軸時代」の痕跡《こんせき》は、たとえば、ギリシアのデルフォイの神殿に刻まれていたという

ギリシア最初の哲学者、タレス

格言「汝《なんじ》自身を知れ」にも残されている。もともとは前七世紀後半生まれのソロンあるいはタレスの作とも伝えられている。

ソロンはアテネの政治家であり、前六世紀初めに没落した中小農民を救済する改革をしたことで名高い。そこには、人間集団をポリス（都市国家）の社会問題として全体的にとらえようとした試みがあった。それとともに、彼は自分の思想を抒情詩《じょじょうし》で詠《うた》っており、それは現存するアテネ最古の文芸作品であるという。ここにも、これまでの感性にない新しい形で現実を切り開こうとした姿勢が見られるのではないだろうか。

ミレトス出身のタレスは、ソロンとともに七賢人の一人に数えられ、ギリシア最初の哲学者と言われる。「万物の根源」を水だとして、イオニア自然哲学の土台を築き、世界を理論的に理解する道を示したのである。それればかりか、皆既《かいき》日食を予言し、土木技術を改良し、政治上の提言も行ったという。これまでのような卜占《ぼくせん》や祈禱《きとう》に依存するのではなく、自然や社会を論理の筋道で究明しようとする明確な意志が息づきはじめているようである。

ソロンにしろ、タレスにしろ、彼らにさかのぼるというデルフォイの神殿の格言「汝自身を知れ」には、人間自身に対する問いかけがある。そこまで至るには、人間は、自分をとりまく苦々しい世界の恐ろしさとともに、自分の無力さに気づいたのではないだろうか。それは人間が自分の限界を自覚するようになったことでもある。

ところで、本シリーズ第一巻「神々のささやく世界」では、太古の人々には神々のささやく声が聞こえていたことを示唆しておいた。彼らには、神々のささやきは当然のごとく感じられたという。そのような経験を幻聴や幻視として斥《しりぞ》けるのではなく、身に迫る現実として感じられたのだ。だが、前一千年紀が進むにつれ、このような世界に現実味が薄れ、神々のささやきが実感できなくなってきたことも指摘した。このようにして神々の声が人間の耳に届かなくなっていくとは、どういうことであるのだろうか。そのさまはギリシア人たちの言葉のなかにも、その痕跡を残している。詩聖ホメロスとほぼ同時代の叙事詩人ヘシオドスには、神々の声がもはや聞こえにくくなった人間の姿がちらほらする。

愚かなるペルセースよ、仕事にいそしむのだ、
神々が人間に季節に応じてお示しになった仕事にな。
憂悶《うれい》の想いを胸に抱きつつ妻子とともに、
隣人の間をまわって食を乞《こ》うが、相手にはしてくれぬ、そのような目に遭いたくなければだ。
（ヘーシオドス『仕事と日』三九七－四〇〇 松平千秋訳）

ここで神々の声はかすかでしかない。だから季節という徴《しるし》を頼みとしてしかもはや神々は語りかけ

ないのだ。やがて神々の個々の声はほとんど聞こえなくなり、神々の命令は見失われてしまう。とりわけ運命に目を向けるとき切実な思いがほとばしる。神々の定めた運命に代わって必然なるものとしての運命が姿をあらわすことになる。詩人よりも哲人の声が大きくなる。

前六世紀に活躍した自然哲学者タレスは、前述したように「万物の根源」を水だと見なし、神々の力に依《よ》らず論理の枠内《わくない》で考えようとした。彼によって、素材（質料）因こそが万有の原理として理解する道が開けたのである。

自分自身にまなざしを向けて

神々の声が消え去った時代にたたずみ、誰よりも透徹《とうてつ》した目をもつ哲学者がいた。イオニア生まれのヘラクレイトスは、万物流転《ばんぶつるてん》を唱えたというが、その根底には火も水も土も「一なり」と見なしていた。そして、自然のなかの必然なるものをロゴスとよんでいる。

「……万物はこのロゴスに従って生成しているのだけれども……人々はまだ経験していないかのようである」（『断片』一）

「私にではなく、ロゴスに聞いて、万物が一つであることを認めるのが、智というものだ」（『断片』五〇）

ここで「ロゴスに聞く」とは「神々の声に聞く」の名残かもしれない。人々にはそう表現した方がわかりやすかったのだろうか。しかし、これらの含蓄《がんちく》のある道理がすぐに凡俗《ぼんぞく》の人々にのみこめたわけではない。彼らには理解しがたいところがあり、そこにヘラクレイトスはいらだちを感じていたにちがいない。

ところで、神々の采配《さいはい》よりも、万物の根源や万有の原理にもとづいて、自然の世界を解き明かす。近現代人なら当たり前のような考え方だが、人類の来《こ》し方《かた》をふりかえれば、そこにいたるには途方もない道のりであった。

前五世紀後半になると、デモクリトスが登場し、万物の根源を原子（アトム）と考えた。物事の生成消滅も感覚の差異も原子の運動や形態・配列・位置の差でできるというから、ある種の唯物論が提唱されたのである。

民主政期のアテネでは、自然だけでなく人間や社会への関心も高まる。それとともに、弁論術を教導するソフィストとよばれる人々が姿を現す。それらのなかから、プロタゴラスが現れ、「人間は万物の尺度である」と唱えて、物事を理解するうえでの相対主義を示唆した。

このようにして、ギリシア人のなかでは、もはや神々の声は実感できないものになりつつあった。その喪失感のただよう虚《うつ》ろな世界には、まさしく自分自身しか残っていなかったのである。これらの人々はもはや自分みずからを見つめるほかはなかった。それこそが「みずからに向けられたまなざし」のめばえとでも言えるものである。

人間の魂に目を向けたソクラテス

自然や人間をめぐってさまざまな考え方が生まれるなかで、真理の絶対性を信じるソクラテスが登場している。彼は一部の若者たちに大きな影響をあたえていたという。しかも、ソクラテスは神々への信義も失っていなかったらしい。そこで彼に傾倒《けいとう》したある男は、師に向かってこんなことを尋ねる。

「神々があなたの言うように、これはしなくてはならん、これはしちゃいけないという忠告を、送ってくれたなら信じます」（クセノフォーン『ソークラテースの思い出』一・四　佐々木理訳）

ここには神々が忠告する場合があるのかもしれないという思いが残っている。だから、この男は無神論者というわけでもない。そこで、この男は神々に犠牲を奉じない理由についてこうも語る。

「私は決して神を軽蔑しているわけではありません、ソークラテース。ただ神は非常に偉大ですから、私の奉仕などご入要でないと思っているのです」（上掲書）

こうして神々の声が聞こえなくなるにしても、人間そのものはさらに注目すべきものになる。なぜ人間が大切であるのか、ソクラテスはこんなふうに語るのである。

「神々は第一に、あらゆる生き物のうちで人間だけを真直ぐに立たせた。……ところで、神は単に肉体の心配をすることのみで足れりとなさらず、これがもっとも大切なことであるが、さらに

ソクラテス像。ヴァチカン蔵

もっとも優秀な霊魂を人間に植えつけてくれたのである」（上掲書）

ソクラテスは信仰心の篤《あつ》い人であったが、なによりも人間における魂を強調している。これは古代にあっては、まったく目新しいことだった。

今でこそソクラテスはギリシアを代表する哲学者のごとく言われている。しかし、同時代の人々からすれば、ソクラテスの語ることはまったく理解できなかった。そのころのギリシア人は人間の外にある自然界にしか目がいかなかったからである。その自然界には空も陸も海もあり、それらは人間と切り離しても意味があり、越えがたい掟《おきて》がある、と考えられていた。そのような雰囲気のなかで、ソクラテスは人間の内面には精神あるいは魂がある、と説くのであった。

人生で配慮するに値するのは富でも地位でも名誉でもない。それは精神であり魂であるのだ。デルフォイの神託にいう「汝みずからを知れ」とは、自分のモイラ（分際）を自覚することだと見なされていた。だが、ソクラテスにあっては、それは人間みずからの精神・魂に目を向けることを指すのだ。外見としてのきらびやかさや豊かさだけを求めても何になる、というのがソクラテスの叫び声であった。このような言葉が彼の口から出るとき、それは当時の大人たちの耳には奇妙にしか響かなかった。ソクラテスの言葉はそれほど当時のギリシア社会からかけ離れたものであった。

ソクラテスにとって、「すべての魂は不死である」(『パイドロス』二四五c) ことになる。さらに「われわれの魂は、人間の形をして現れる前にすでに前世で存在しており、魂はわれわれの肉体から独立したものだった」(『パイドン』七六c) ということにもなる。

このようなソクラテスの言動は弟子プラトンによって後世に伝えられている。

肉体と物質世界ははかなく朽《く》ちやすい。しかし、魂には「純粋で永遠に続く、不死で不変の世界」(同上七九d) がある。肉体はわれわれを閉じこめる監獄であるから、死は「魂の肉体からの解放」(同上六四b) であるのだ。だから、人生の目的は、来世で神々とともに生きるために、魂を磨《みが》き浄化することにある。そのためには「知恵に導かれて、勇気や自制や清廉《せいれん》さなどの真なる善にいたること」(同上六九b) が大切である。

肉体は魂の入れもの

ソクラテスの信条は、影のような希薄《きはく》な来世観しかなかったギリシア人にはまったくなじみのないものだった。ソクラテスの弟子たちにとってさえ、プラトンを例外として、ほとんど受けいれがたいものだった。

しかしながら、このような魂という想念は降ってわいたようにまったく目新しいものだったのだろうか。そう問えば、必ずしもそう言い切れないところがある。神話のなかの魅惑的な竪琴《たてごと》弾きの詩人オルペウスの言葉とされるテキストには、すでに肉体と魂との二元論ともいうべき想念がある。ふたたびプラトンの語るところに耳をかたむけてみよう。

ある人々の言うところでは、からだ《ソマ》は魂の墓《セマ》なのだ。つまり、魂は、この現世においては、からだの中に埋葬されているという意味だがね。それからまた、魂は、自分の示そうとすることを、からだでもって示す《セマイネイン》ので、この意味でもやはり、からだはセマ《しるし、符号》と呼ばれて正しいのだ、と言われている。だけれども、ぼくに一番本当らしく思えるのは、この名前をつけたのはオルペウスの徒であるということだね。つまり、〔オルペウス教徒の考えでは〕魂は犯した罪のために償いをしているのだ。そして保管〔拘束〕されるために、牢獄《ろうごく》をかたどった囲いとして、からだをもっている、というわけなのだ。（『クラテュロス』四〇〇c　水地宗明・田中美知太郎訳）

ここでいうオルペウス教が宗教団体としてはっきり存在していたかは疑わしいものがある。しかし、オルペウスに帰するテキストが手元に残り、それらがギリシア人の一部では重んじられていたことは疑うわけにはいかない。なかでも「肉体は墓である」（ソマ・セマ）という考えは目立っている。このような教えを聞く人々のなかには、オルペウス教の秘儀《ひぎ》にあずかれば、魂は救われ神々の住む場所に向かうことができると信じる人々もいたらしい。

南イタリアのオルペウス教徒らしい墓から黄金製の皿（前四～前三世紀）が発見されている。そこには死者が冥府《めいふ》の審判者に語るべきことが示唆されている。死者の魂がその言葉を宣言すると、審判者は「おお幸多き、祝福された者よ。お前は死すべき者の代わりに神となるだろう」と答えるという。

このようなオルペウスの教えはあの名高い数学者ピュタゴラスにも大きな影響をおよぼしたらしい。前六世紀、ギリシア文化が絶頂期をむかえる古典期の直前にあって、彼は「数」の原理にもとづいて世界を解釈するというほど合理的思考の持ち主であった。しかし、その反面では魂の不滅や転生を信じて疑わなかったという。そのため、ピュタゴラス派とよばれる宗教学派を創始していた。そのピュタゴラス派を奉じる人々は入信式にあずからなければならない。そこで生きる信者はもっぱら菜食に徹し、動物供犠《くぎ》を忌避《きひ》し、魂の浄化につとめるのである。

オルペウスと鳥獣たちを描いたモザイク画。トルコ、タルソス出土。3世紀

ある同時代の人が情感あふれるピュタゴラスの姿を伝えている。この信心深い大学者は鞭《むち》で打たれる仔犬《こいぬ》をあわれみながら、「よせ。打《ぶ》つな。それはまさしく私の友人の魂なんだから。啼《な》き声を聞いて、それと分ったのだ」（ディオゲネス・ラエルティオス『ギリシア哲学者列伝』八・三六　加来彰俊訳）と叫んだという。

ピュタゴラスの友人は前世の行為を裁く審問に失敗したのでひどい懲罰をこうむるはめになった。友人の魂は人間から犬の身に移され、鞭で打たれることになったというのだ。このように、死後の魂の運命は、オルペウス教徒と同様に、ピュタゴラス派の人々にとっても、このうえなく深い関心事であった。

プラトンによる「魂とその運命」

オルペウス教とピュタゴラス派の説くような魂と肉体という二元論の考えは、少なくとも後世のプラトンにはかなりの影響をおよぼしている。彼の場合は、師ソクラテスの教えを再現するだけにとどまらず、自分のなかに育まれていた考えを書きつづっているからだ。そうした背景には、オルペウス教徒やピュタゴラス派は自分たちの謎めいた教義を隠そうとしていたが、ソクラテスとプラトンは永遠の魂と地上の肉体とが別なることを大っぴらに議論していたという事実がある。

このような魂とその運命をめぐるプラトンの見解は、その晩年の作品のなかに凝縮されている。

すなわちそれは、魂は肉体よりもあらゆる点ですぐれているし、そしてまさにこの人生において、われわれの一人ひとりが現にこのとおりの者であるのは、ほかならぬ魂のためであって、肉体はたんなる見かけだけのものとして、われわれの一人ひとりに付随《ふずい》しているにすぎないのだ、ということです。だから、死骸となった肉体は死者の影のようなものだと言われてしかるべきであり、われわれ一人ひとりの真の自己は、つまり、不死なる魂と名づけられているものの方は、父祖伝来の掟が告げているように、自己の行為を報告するために、〔死後は〕あの世の神々のもとへ立ち去って行くのだ、というわけなのです。——その報告は、善き人には安心しておられるものだけれども、悪しき人にはたいへん恐ろしいものなのですが——。(『法律』一二・九五九a－b　森進一・池田美恵・加来彰俊訳)

プラトンにとって、魂の運命は祝福されたものであるか、あるいは懲《こ》らしめられるものであるかという形で理解されていた。それはゾロアスター教における最後の審判にどこか似たようなところがあった。

なにはともあれ、魂をもつ精神的存在としての人間という理解が生まれたのである。それは、人類史という大河の流れを大きく旋回《せんかい》させるものであった。あるいは人類の進化のなかで突然変異がおこったかのようでもあった。

恒久の歳月に生じた突然の裂け目

それまで、雄大な自然のなかの一部として、人間はあくせくと生きてきた。穏やかな日々ばかりがあるわけではなく、自然はときには荒々しく人間に災いをもたらす。

灼熱《しゃくねつ》のような日照りがくりかえされて水が涸《か》れはてたり、豪雨がつづいて洪水に襲われたりする。また、忍びよる疫病・感染症の蔓延《まんえん》には手の施しようもないときがある。さらに、小さな火元から辺り一面をまきこむ大火事がおこることもあり、轟音《ごうおん》と雷光の交わる恐怖はまるで神々の怒りでもあるかのように人間を脅かす。さらにまた、大地を揺るがす地震の恐ろしさには、もはや為す術もなく打ち震えるしかなかった。

幸いにして、近現代人は、このような天変地異について、その仕組みを解明してきた。だが、防災となるとまだ完全と言えるほどではない。さらに、きわめつけの人災と言える戦争ですら、決しておこらないなどと断言できるわけではない。あれこれと恵まれた現代にあっても、このような有り様なのだ。

　まして、三〇〇〇年もさかのぼっていくと、その古代に生きる人々は圧倒的な力をもつ自然にとり囲まれているのである。そのほんの小さな一部にすぎない人間は、悠久の自然に翻弄され、あくせく流されて生きるしか術がなかった。荒れた海に浮かぶ小舟のように、人はよりどころなく揺れ動くだけであった。あるいは、道に舞う枯れ葉のように、吹きさらす風にさまよう人間の姿しかなかったのだ。人間の内なる状態はほとんど不変なままつづいており、大きな出来事がおこっても、すべてはもっぱらくりかえされるにすぎない。見渡す視野は狭くかぎられ、静かでゆったりとした内なる状態は動きが少なく、それが感知されることはほとんどなかった。

　このようにして、人間の外にある自然にだけに目を向けるほかなかった時代が数え切れないほどの月日を経ていた。その目もくらむような恒久《こうきゅう》の歳月のなかで、突然のごとく裂け目が生じたのである。それは時間の途切れであったが、同時に空間のほころびでもあった。かすかではあるが、確たる勢いで迫ってくるのだ。

　そこには、これまで感じたことのない不気味なものがあり、あたかも深淵《しんえん》がよこたわっていたかのようだった。この深淵を前にして、人間はとまどいながら、そこから抜け出す道を探し出す。しかし、抜け出すとは逃げ出すことではない。道に迷ったり踏み外したりしたわけではないのだ。この未知の深淵の前でたたずみ、人はそこから飛躍しなければならなかった。

　まったく新しい世界が開けていながら、残念ながら人間の限界だけが身にしみて感じられるにすぎないのだ。いかにしてその底知れない暗闇のなかで一条の光を見出すことができるのだろうか。

これまで思いもよらなかった感じ方や考え方があることに鋭敏な人々は気づきつつあった。なんとしてもそこを切り開かなければ、飛躍などできないのではないか。このような人間の根源にかかわる問いかけがあり、そのまなざしの果てに覚醒されるのが、「解脱《げだつ》」あるいは「救済」への願いであった。もっとも、これらは後世の表現であるが、「解脱」や「救済」に向かう明らかな兆《きざ》しがあったにちがいない。

そこには、人間が自己の限界について自覚を深めるとともに、自己の目標を定めようとする営みが生まれたのではないだろうか。このような自覚と営みをつづけるなかで、もはや人間は自分の内にあっても外にあっても、何ものにも制約されていないことを実感するようになったのだろう。そのような実感をまざまざと経験したことで、「解脱」あるいは「救済」への願いがめばえたのだろう。

このような「人間の内側に向けられたまなざし」は、ユーラシア大陸の西側にあるオリエント世界や東地中海世界でのみおこったことではなかった。ユーラシアの中央部の南アジア、あるいは、東側にある東アジアでも、同様の試みが目立ってくる。これは人類史という規模で考えれば、瞠目《どうもく》すべき出来事ではないだろうか。ここに思いいたれば、オリエントを含む広義の地中海世界の文明史の探究という本書の枠組みをいったんとり払い、ユーラシア規模での人類の文明史をたどってみなければならないだろう。

4　インド・中国の覚醒者たち

南アジア世界の覚醒――「ウパニシャッド」という開明思想

印欧語族の人々はアーリア人とよばれることもある。近年では人種や民族よりもしばしば語族が用いられる。前二千年紀半ばには西北インドのインダス文明地域に侵入し、早くから先住民と共存していたという。

おそらく先住民を服属させていたのだろう。ヴァルナ（色）にもとづく強固な身分階層のカースト制度をもち、その最上位にあるバラモンは祭司階層をなしていた。バラモンの教えは聖典「ヴェーダ」と総称され、なによりも祭式を重んじていた。神々に供物を捧げる祭式を大切にしており、それによって神々の恩恵を祈願するのであった。

ヴェーダの内容はさまざまであったが、根幹をなすのは「讃歌・祭詞・呪文」「祭式の規則や由来」「秘儀」などからなる祭式主義であった。ヴェーダ文献が形をなすヴェーダ時代は、前一五世紀頃から前六世紀頃までであり、その最終段階で「ヴェーダの末尾」あるいは「ヴェーダの極致《きょくち》」とも解される思想書「ウパニシャッド」が生まれている。

通説によれば、「ウパニシャッド」とは「近くに座る」（upa-ni-sad）というサンスクリット語に由来するという。師弟が対座して師から弟子に伝達される真義のことであるが、その内容を記録した文書をさすようになり、「奥義書《おうぎしょ》」と訳されることもある。

現存するウパニシャッドのなかでも時代も古く内容も重要なものは「古ウパニシャッド」とよばれるが、前五〇〇年前後の数百年間に形をなしたと考えられている。このために、数多くの思想家の手でもって作成されており、雑多で相矛盾《あいむじゅん》する言説があることも少なくない。

ヴェーダ儀礼では、神々は供犠によって不死となるという。供犠こそは万能であり、時とともに、祭祀には霊妙な力があるとされた。祭式を正しく実行すれば、それによって宇宙のことごとくを支配することができるのだ。神々もまた正しい祭式がなされれば、人々の祈願を受けいれ、恩恵を施さなければならないのである。

それとともに、バラモン祭司は神々に奉仕する敬虔恭順《けいけんきょうじゅん》な僧侶ではなくて、ある種の呪力をもつ者と見なされるようになったという。神々は尊崇されるが、超越した存在というよりも祭式のなかの重要な一要素であったにすぎない。なべて神々の威信はそれほど高くなくなり、皮肉な見方をすれば、「祭式の操り人形」と見なされていたとも言える。

古ウパニシャッド以来の文献には、祭祀によりかかる説明あるいは神話類もなお少なくない。理論や体系にそって語るのではなく、譬《たと》え話や比喩《ひゆ》をもち出すことがしばしばである。後世の哲学書にありがちな抽象的思索の道筋を書き記すわけではないのだ。むしろ、神妙な霊感から授かったかのような確信を語るのである。議論は、師弟や父子あるいは夫婦の間の対話であったり、教養ある人々の討論であったりする。

しかしながら、古来のヴェーダ聖典の時代の考え方からすれば、ウパニシャッドの思想はまったく目新しい開明思想であった。おそらく当節の世間一般の人々には新奇なばかりか異様な姿に見えたのではないだろうか。

古代インドでは、ヴェーダ時代から宇宙の最高神あるいは根本原因をめぐる関心が高かったという。その探究の過程で、神々のなかでも絶対者としての創造神が立てられ、宇宙創造の神話が生まれたのだ。

ウパニシャッド時代になると、このような最高神への関心が薄れるようになったらしい。それに代わって、もっぱら抽象化された非人格的な基本原理が追究されていく。これらの諸原理のなかでも、もっとも重要なものがブラフマンとアートマンであった。

「梵我一如」を悟り解脱へ

ブラフマンは、もともとヴェーダにおける祈禱の文句あるいはその神秘力を意味したという。祭式万能主義が強まっていくにつれ、神々をも支配する力とみなされ、やがて「宇宙の根本原理」あるいは「絶対者」の呼称の一つとなったらしい。サンスクリット語の音写では「梵《ぼん》」と訳されている。

アートマンは、本来は「呼吸」を示唆したが、時を経るにつれ、「生気」「生命」「霊魂」「自我」を意味するようになったという。そのために、漢訳では「我」とされている。さらに、「万物に内在する霊妙《れいみょう》な力」あるいは「宇宙の根本原理」として理解されるようになったという。

一口にウパニシャッド哲学といっても、数百年の間に数多くの思想家が現れ、彼らの手で作成されているので種々雑多な思想がふくまれている。それらのなかには相互に食い違う説明がなされる場合も少なくない。

そもそもウパニシャッドの諸説に共通するのは「知識の重視」であるという。祭式の秘かな意義について学識を深めて儀礼を実行すれば、祭祀の効果はますます大きくなる。古来、宇宙と人生の諸事象は祭式のなかに象徴的に具現《ぐげん》されていると考えられていた。そのせいで、祭式の真なる意義を追究するにつれ、宇宙および人生そのものの本来のあり方に目が向かうのである。

そこから、ウパニシャッドの中心思想と目される考え方が生まれることになる。最初のころは、自然も人生も祭式もそこにふくまれる事物や要素だけが重視されていたが、やがて、宇宙の本体としてのブラフマン（梵）と人間存在の本質としてのアートマン（我）をそれぞれ最高の実在あるいは絶対者として考えるにいたったのだ。さらに、この両者は、その本質において同一であると考えられ、「梵我一如《ぼんがいちにょ》」の思想として唱えられた。

この「梵我」が同一であることを悟るときにこそ、解脱にいたるという。そのように説くことがウパニシャッド思想の到達点であった。さかのぼれば、ヴェーダ聖典が編纂《へんさん》されるにつれ、その後期には種々雑多な思想がまとめられて一元化する傾向があったという。「梵我一如」思想はひとまずその頂点に昇りつめたものであった。さらに、この思想はインドにおける最も有力な思潮をなすことになる。

これらの求道者のなかには、人気のない深い森の静寂《せいじゃく》のなかに隠遁《いんとん》して、思索を深める人もいた。すでに前七世紀頃から、商工業が盛んになり、小規模の都市が数多く出現していた。物質生活が豊かで安楽になれば、享楽《きょうらく》に陥り、退廃しがちになる。これらの悪徳を避けるために、出家して修行に専念する人になるのだった。これらの求道者たちは「つとめる人」とよばれ、「沙門《しゃもん》」と音訳されることがある。

彼らは、なによりも真面目で考え深い人々であった。数多くの神々について思いをこらし、最高存在について考えをめぐらした。自然のなかのすべての生き物、神々も人間も、植物も動物も、この最高存在の息吹《いぶき》によって生かされている、と感じていた。その息吹は、世界のいたるところにあり、あらゆる変転と循環があっても、永遠でありつづける。

この最高存在の摂理を正しく実感するために、修行者は森林奥深くに座り、何日も何ヵ月も何年も、ただそのことについてだけ瞑想《めいそう》するのだった。呼吸はできるだけ少なくし、食事もできるだけ控えめにして、苦行のかぎりを尽くすのである。なかでも、前六〜前五世紀には、マハーヴィーラとゴータマ・シッダールタ（仏陀）が登場する。

マハーヴィーラのジャイナ教

マハーヴィーラは武人階層に生まれ、三〇歳で出家して、沙門として修行生活に入ったという。バラモン教の異端派であり、非バラモン教徒といってもいいのである。彼は「生き物によって生き物が害される」ことに苦しみを感じ、その苦悶を重ねながら、諸々の苦しみの原因を探究した。そのような苦しみの根源には人間の業（カルマ）があり、それを除去して穢《けが》れのない本来の自己を回復することに努めたのである。それには厳しい禁欲生活を実践しなければならなかった。

このころのインドでは、言論活動が自由になされる風潮があったらしい。このために、種々雑多な思想が対立し、お互いに競っていた。マハーヴィーラは、物事には絶対的なあるいは一方的な判断をなしえないことに気づいていたので、多様な観点から多方面にわたって探究すべきであると主張した。実体としては常態であっても、その姿においては変転し無常である、と言うことができる。すべては相対的であり、多様な立場から解釈すべきなのだという。このような観察の仕方は不定主義あるいは相対主義とよばれるものである。

解脱のための禁欲生活と不定主義、それはジナ（修行完成者）としてのマハーヴィーラの説くジャイナ教として定着する。当然のことながら、旧来の体制を反省し批判的立場にあったから、ヴェーダ聖典の権威は否定され、バラモン僧の取りしきる祭祀も無意義であると主張された。このような合理主義の立場にあって、すべての人間がいつどこでも尊奉《そんぽう》すべき普遍法（ダルマ）があることを唱えるのだった。

ジャイナ教を開いたマハーヴィーラの座像。10〜11世紀のもの。ボストン美術館蔵

心の悩みの解決をめざした釈迦

インド・ネパールの国境沿いにある小国の王族の子として生まれたゴータマ・シッダールタは、父王の祈願もあって何一つ不自由のない王宮の生活をおくった。だが、農耕の風景を見て、農夫や牛馬が労苦する様あるいは鳥についばまれる虫の姿を目にして、心を痛めたという。ま

断食修行をするゴータマ・シッダールタ。パキスタン、ラホール博物館蔵

た、城から外出した折に、老人、病人、死人を見て、世の中のはかなさを知り、さらに出家者に出会って、自分の歩むべき道に思い当たった。

すでに妃との間に一子をもうけていたが、やがて城を出て、隣国で沙門の修行生活をおくったという。だが、山林にこもって六年間も苦行に励んだが、得るところなく、苦行の無意味さに気づいた。ほどなく菩提樹《ぼだいじゅ》のもとでひたすら沈思瞑想《ちんしめいそう》にひたり、ついに大悟《だいご》して、覚者《かくしゃ》（仏陀）となった。前四二八年頃のことであり、仏陀三五歳のときだった。釈迦牟尼《しゃかむに》（釈迦族出身の聖者）と尊称されている。

その後は諸地方を遊歴して、布教活動に努め、数多くの徒弟たちが釈迦のもとに集まった。この教団では、僧の順位は出身階級には無関係であり、出家後の年数が重んじられた。真のバラモンとは生まれではなく行いによるのだった。この考えはバラモン教の階級制度を否定するものだった。また、不殺生の教えはバラモン教の犠牲奉納を否定し、祭式至上主義を脅かした。

釈迦の教えが勢いづくと、敵対勢力も目立つようになる。離反者のなかには、狂った象をけしかける者もおり、バラモン僧のなかからは、釈迦の仲間が女性と密通しているとの真《まこと》しやかな告発をする声もあったという。

釈迦の教えは、仏教として後世に膨大な経典や解説が積み重ねられていくが、原始仏教の聖典としては、パーリ語の「三蔵」（経蔵・律蔵・論蔵）とそれに相当する漢訳「阿含《あごん》」とがある。「阿含」とは原名「アーガマ」（伝来の）を音写したものである。

近年の仏教学の示唆するところでは、この「阿含」とよばれる聖典群こそが、釈迦その人の言葉や思想を原初の素朴な形で残しているという。仏陀の実像を知るためには、ことさら重要な素材なのだ──。

たとえば、あるときの祇園精舎《ぎおんしょうじゃ》における説法では、比丘《びく》とよばれる修行僧たちに向かって釈迦はこう語っている。

比丘たちよ、色《しき》（肉体）は無常である。無常なるものは苦である。苦なるものは無我である。無我なるものは、わが所有《もの》にあらず、わが我にあらず、またわが本体にもあらず。まことに、かくのごとく、正しき智慧《ちえ》をもって観《み》るがよい。また、

受《じゅ》（感覚）は無常である。……

想《そう》（表象）は無常である。……

行《ぎょう》（意志）は無常である。……

識《しき》（意識）は無常である。……まことに、かくのごとく、正しき智慧をもって観るがよい。

比丘たちよ、わたしの教えを聞いた聖なる弟子たちは、そのように観て、色を厭《いと》い離れる。

……受を厭い離れる。……想を厭い離れる。……行を厭い離れる。……識を厭い離れる。……厭

い離るれば、貪欲《とんよく》を離れる。貪欲を離るれば、解脱する。解脱すれば、解脱したとの智を生じ、〈わが迷いの生はすでに尽きた。清浄の行はすでに成った。作《な》すべきことはすでに弁じた。このうえは、もはや、迷いの生を繰返すことはないであろう〉と知るのである。（増谷文雄訳）

この釈迦の表現には、なんの誇張も虚飾《きょしょく》も激烈な言葉もない。ひたすら淡々と語り、噛んで含めるようにわかりやすく説いている。まさしく「人間の師」とよばれるにふさわしい人物がそこにいる。

この「人間の師」にとって、なによりも大事なことは人間の心の悩みを解決することだった。このような心の悩みは、祭礼のごとき外形の行為で解決されるわけではない。人間それぞれが自己の内面に働きかける変革こそが肝要なのである。そのために、釈迦は、正見《しょうけん》・正思《しょうし》・正語《しょうご》・正業《しょうごう》・正命《しょうみょう》・正精進《しょうしょうじん》・正念《しょうねん》・正定《しょうじょう》からなる八正道《はっしょうどう》の実践行を説き、あれこれと具体的な修習の道のりを示した。歩むべき道は苦行を否定しながらも、安易な生活も潔《いさぎよ》しとしない、中庸《ちゅうよう》の正道であった。

これらの教義の詳細に深入りすればとめどもないが、簡潔に言っていいなら次のようにまとめてもいいだろうか。つまるところ、苦悩が生じる淵源《えんげん》を追究し、それを除き去ることである。その淵源にあるのは「我への執着《しゅうちゃく》」であったのではないだろうか。この世にあって何も求めず、誰にも思いやりをもつこと、それが人間の、偉大で静かな至福なのだ。

この考え方は、古代インドのみならず、世界史あるいは人類史の視野で見渡しても、驚くべき革新的な思念であった。しかも、今日の知見をもってしても、きわめて合理的であり、さらにまた科学的であるとさえ言える。人間の心の無意識な過程までも見つめて、そこを制御しようとするのだから、フロイトやユングに始まる深層心理学を先取りするかのような方法であるのだ。

このようにして、自己という存在をとことんまで解き明かして、人間の生き方を究めようとする営みが生まれる。それは自然や外形ではなく、内面にある心を見つめる新しい人間の試みであった。前一千年紀半ばにいたるオリエントやギリシアと同様に、ここ南アジアの思想活動にあっても、人間の新しい局面を切り開く大きな潮流が押し寄せていた。

東アジア世界の黎明──春秋・戦国時代が生んだ諸子百家

ユーラシアの東方に目を移すと、中国を中心とする東アジアでも人間の生き方をめぐる変革の潮流がきざしていた。そもそも、黄河の中・下流域では小規模な集落（邑《ゆう》）が数多く点在し、氏族制にもとづく共同生活が営まれていた。集落のなかには、周辺地域を服属させ、城壁をめぐらす都市国家（大邑《たいゆう》）も現れていた。

中国の古代史は殷《いん》や周《しゅう》にさかのぼり、そのころ漢字がかぎられた人々の間で使われていた。ところが、周王朝を支える諸侯が争うようになり、周王朝が分裂の危機にさらされる。ほどなく、いわゆる東遷《とうせん》がおこり、西周《せいしゅう》と東周《とうしゅう》に分裂した。これに加えて、外から異民族の侵入があり、周の故地はますます混乱した。

やがて、前六世紀初め、西周は東周によって滅ぼされている。漢字は大都市の内部でのみ使用されていたが、その情況が一変したのは前七七〇年の東遷という出来事だった。このために、東遷以前を西周、以後を東周（春秋《しゅんじゅう》・戦国《せんごく》時代）とよぶのが習わしである。

春秋・戦国時代には、数多くの諸侯が乱立していたが、やがて有力な諸侯が覇者としてそれらを併合していった。強力な覇者は「春秋の五覇《ごは》」や「戦国の七雄《しちゆう》」などとよばれ、それぞれが富国強兵に努めた。さらに、各々の諸侯が王を称するようになり、周王朝は有名無実となった。

このような数百年におよぶ春秋・戦国時代の激動は、政治や社会の在り方をめぐっても、多種多彩な思想をよびおこしている。それらの思想家たちは諸子百家とよばれ、人間の生き方を根本から考える端緒となった。

偉大な常識人としての孔子の教え

前五世紀の春秋時代末期になると、魯《ろ》の国には孔子《こうし》が出て、新しい人間関係のなかでの戒めを説いた。古来の伝統につちかわれた人間の絆では、もはや都市の政治の営みは難しくなっていた。領域国家が成長し、都市が政治の中心となっていくなかで、その基盤となる新しい人間関係が模索されていたのである。

師たる孔子の言行録の一つは、弟子たちによって『論語《ろんご》』として編纂されている。そこには、智者・仁者《じんしゃ》・勇者が並べたてられており、一方で勇を強調する語り口があり、他方で仁を突出させる論じ方もある。都市に出没していた遊侠《ゆうきょう》たちを代弁する古い内容と大国中央の官僚を代弁する新しい内容が混在していたからであろう。

ここでは、社会の表舞台あるいは裏舞台にあっても、人間の生き方が「徳行」として求められていたかのようである。といっても、孔子は高邁《こうまい》な理想を説いたわけではなく、むしろ凡俗《ぼんぞく》な常識のなかにある真理を見出そうとしていたのだろう。『論語』には千数百の漢字の種類が使われているにすぎず、それだけ平易であり、広く読まれる古典となったのである。

超絶した神について語られることもなく、永遠の存在などに目を向けることもなかった。卑近な現実の人生のなかでいかにして処すべきか、それこそが関心の的であったのだ。

幼子が水辺で遊んでいれば、落ちないかと心配する。隣人が困っていれば、なにか手助けできないかと気をもむ。このような心配りや同情は人間にとって生まれつきのものである。肝要なのは、そのような善意が失われないようにすることだった。それ以外は、何もする必要などないのだ。

それとともに、もっとも基本となる家族生活のなかで、両親を愛し、両親に配慮することがことさら大切であった。そのように生まれついている者は、他人に対してもそのようにふるまうことが期待された。

儒教の祖、孔子

そのような現実の生活にあっては、人間相互の思いやりが大切であり、人々が平和にともに暮らすことが大切だった。よりよい集団生活のために、公事においては、なによりも道徳政治を重んじることが説かれるのだった。

孔子の人柄や思想については、後世に加筆・潤色《じゅんしょく》された部分も少なくない。だが、偉大な常識人として孔子の教えは、ただ当たり前のことを語ったにすぎないかもしれない。それでも、やがて儒教の祖として仰がれることになり、東アジアの人々にとって、その生き方や考え方の規範の一つとなったのである。

孔子と老子が会見したという伝説を描いた漢代の画像石の拓本。中国山東省出土

宇宙の掟としての「道」を説く老子

孔子にやや遅れて老子《ろうし》が現れる。彼は楚《そ》の人といわれるが、その伝記はあいまいである。後世にあって道家の始祖にまつりあげられたために、老子その人の素朴な姿がわかりにくいという。

老子は役人であったが、わずらわしい日常生活を嫌い、公職を捨てて、人気のない山中に向かったという。そのような孤独のなかで、全世界には一つの偉大な掟が働いていることを洞察するのだった。その掟は、昼夜に雨風にも星にも月にも太陽にも動植物にもおよんでいるのだ。

老子の根本思想は、万物は生成消滅しながら、それ自身は生滅することなく感覚を超える理法として実在するところにある。あるがままの自然に宇宙の掟としての「道」があると考え、そのあり方を「無為自然」と唱えたのである。かくのごとく自然と人間を理解したために、政治は人為的なものとして斥《しりぞ》けられる嫌いがあった。

このような老子の「無為自然」の思想は、天竺《てんじく》とよばれていたインドの仏教の教えとどこか通じるものがあるのではないだろうか。諸行無常のなかでも解脱と慈愛を説く釈迦《しゃか》の文言と共鳴しているかのようである。このせいか、後世には、西方に赴《おもむ》いて姿をかくした老子がインドの地で仏教をはじめたという説すら出回ったという。なかには、仏陀は老子の化身にほかならないと唱える者もいたらしい。

このような虚構の説が人々の口々から流れ散ったのも、一世紀以後の後漢《ごかん》期から西域を経て仏教が東アジアに伝来したためであった。それとともに、仏教よりも道教が優れていることを主張する口実になったという。ある意味で、思想上の近親憎悪にも似た排仏論であったのだ。

とはいえ、老子の唱えるところは、理念としてあっただけではなく、現実世界で生きる知恵でもあった。たとえば、聖人の処世術として、他者と争わないで生きることや外界にあるがままに順応していくことなどが重んじられたという。せんじつめれば、人間は何もせずに心を穏やかにしていることこそが大切なのである。草花のように、何も望まず、何も思い悩まず、天道の掟に従って生きること、そのような無の境地になる者に「道」が寄りそうのである。

このような現実における成功の術こそが老子の教えの素朴な核心であったが、後世における高尚好みの流行にともなって、理念の側面がことさら強調されるようになったらしい。

孟子対荀子、「非攻」の墨子に兵家、縦横家も

ほかにも、思想家群像は多彩であり、国家と社会あるいは人間をめぐってさまざまな意見が競い合った。これらの議論のなかには、そもそも人間は生まれつき善なのか悪なのかという点について論じることもあった。孔子の教えを受け継いだ孟子《もうし》は、生来の善なる心をはぐくまなければならないとす

る性善説《せいぜんせつ》の立場に与《くみ》した。太古にさかのぼる善政の王道《おうどう》を理想とし、力による覇道《はどう》の政治を批判した。

これに対して、もともとは儒家にありながら、荀子《じゅんし》は、人の本性は悪とみなして性悪説《せいあくせつ》を唱え、孟子と対立した。秩序維持のためには規則としての「礼」をもって導くべきだとして、王権による民の教化を容認した。

また、天下の統一をめぐっても、対抗する思想が浮上する。商鞅《しょうおう》や韓非《かんぴ》などの法家《ほうか》が出て、政治の要を刑罰などの法の運用に求めた。その法治主義は大国をめざす秦《しん》の国制に反映されている。これに対して、墨子《ぼくし》を始祖とする墨家《ぼっか》は、「兼愛《けんあい》」と「非攻《ひこう》」をかかげて、博愛主義と絶対平和を主張した。それとともに、小国の防衛などについても軍事問題として取り組んでいる。

さらに、実践の学も登場して、後を絶たなかった。兵家《へいか》の孫子《そんし》は、まず戦術を論じたが、それにとどまらず戦略の見地から広く国家運営をも語っており、高い思想性をもっていたという。蘇秦《そしん》は外交術を駆使して、大国化する秦に対抗すべく東方六国の合従策《がっしょうさく》を説いた。これに対して、張儀《ちょうぎ》は東方六国がそれぞれ秦と結ぶ連衡策《れんこうさく》を進言し、秦王に用いられて合従策を破った。彼らは縦横家《じゅうおうか》とよばれることがある。

東アジアにおいても、前一千年紀半ばになると、人間と社会・国家をめぐる思念がなにか明確な形をとりだしているかのようであった。諸子百家とよばれる思想家群像にも、人類が自らにまなざしを向けだす勢いが感じられる。まるで茫漠《ぼうばく》たる霧がかすかに晴れつつあり彼方に広がる景色が目にしみてくるような趣がある。

「人間そのもの」を文明各地で問いかけた枢軸時代

これまで、「世界史」なる言葉は漠然と使われてきた。ユーラシア大陸の各地に高度な文明が生まれ、それぞれが独自に発展していった。オリエント文明、東地中海文明、南アジア文明、東アジア文明があり、それらの文明は相互にほとんど関わることはなく、それぞれの足どりはまったく異なっていた。

そのようにたどってみれば、はたして「世界史」なる言葉を使っていいものかどうか、どこか心もとなくなる。たしかに、文明の誕生には、川辺での灌漑《かんがい》の整備や文字の開発などの共通項がないわけではない。だが、そこには生きている人間のあり方についての問いかけはない。やはり「世界史」が人間の歴史として語られるものなら、「人間そのもの」の実態についての探究がなされるべきではないだろうか。

ここでいう「人間そのもの」とは、食糧を確保し集団生活をするだけの人間ではないということである。たしかに、文明の誕生とともに、共同集団組織の整備と管理にひときわ目につく最初の開発作業があっただろう。だが、それは食糧を確保し生活を営む集団にすぎなかった。部族や民族の移動がくりかえされ、征服や反乱がおこり、部族・民族が断絶したり混交したりした時代がつづいた。さまざまな事件や出来事が数千年にわたって絶えずくりかえされたが、人間の精神活動に目をやれば、ほとんど動きのない時間だった。

ところが、前一千年紀に入るころから、どこかこれまでとは異なる人間の姿が浮かび上がってくる。本書ではそれを「神々の沈黙」という謳《うた》い文句でまとめてきた。オリエント・東地中海世界なる地域にかぎれば、それに先行する事態として、アルファベットの開発、唯一神の崇拝、貨幣の普及があることを指摘している。南アジアや東アジアにおいても、文字言語、信仰形態、交易活動などをめぐって類似の変容があったのではないだろうか。

このような「神々の沈黙」として総括される歴史物語と並んで、それにいち早く感知し、鋭く反応した人々がいた。これらの人々は、その時代の趨勢《すうせい》のなかで、ひとかどの人物であったにちがいない。彼らは、これまで人間がなおざりにしてきた諸問題、というよりも気づくことのなかった諸問題にとり組むことになる。それが「人間そのもの」についての問いかけであった。神々のささやく声に耳を傾けてきた人間に、もはやその声は聞こえなくなっていた。その指針を失った人間は自分自身に目を向けざるをえなくなったのだ。

このような問いかけが、それまで別々に歩んできた文明の各地でほぼ同時代に出てきたのである。なぜこのような類似した現象がほぼ前一千年紀半ばの高度文明の各地で同時期に出てきたのだろうか。まるで示し合わせたかのように、同じような精神活動がおこったかのようだ。言い換えれば、同型タイプの人間が登場したとも言えるだろう。

かくして、諸文明それぞれに生きる「人間そのもの」が類似してきたことによって、初めて普遍史としての「世界史」が語れるようになるのだ。この精神活動の類似性については、先立つ研究者たちも気づいていたが、一九四九年、ヤスパースの『歴史の起源と目標』によって「枢軸時代」という確たる概念として明示されたのである。

「枢軸時代」は証明することなどできない命題である。それぞれが独自の文明地域に生まれた思想運動でありながら、どうして同じ時代に併存する出来事だったのか。それを論証することなど誰にもできないだろう。

だが、その概念のまなざしで人類の歴史をながめれば、同質性のある「人間そのもの」が浮かび上がってくる。そこを出発点として、われわれは「世界史」を語りやすくなるだろう。ただ事実を並べたてるだけが歴史を再現するわけではない。とりわけ「世界史」と銘うつかぎり、そこには史実の底流にある人間の行動規範のようなものが感じとれるはずである。

おそらく、それぞれの地域において、交易がさかんになり、広い範囲での人々の交流があり、情報も交換されるようになっていた。たとえば、穏やかな内海のある地中海世界では、海路による人と物資の交流がことのほかさかんになってきた。さまざまな情報が比較されたり混ざり合ったりすれば、それらの知識のなかから新たな観点や試行が生まれることにもなるだろう。

カール・ヤスパース(1883〜1969)

それとともに、身の回りの狭い世間だけではなく広い視野で物事を考える人々も少なくなかった。自然の真理、社会の正義、人間の道理といったことについて真剣な問いかけがなされ、預言者や改革者は真理・正義・道理を説いたのである。彼らが神々を観念すれば、もはや部族・民族や国家に狭くとどまらないものになっていただろう。

ウェーバーの脳裏にあった人類史の大転換

さらにまた、その後の世界史をふりかえれば、この前一千年紀半ばの数百年を境目として、今日にいたる諸思想の端緒が「枢軸時代」にさかのぼることは一目瞭然としている。

オリエントのパレスティナにおける旧約聖書の編纂は、それ以後、啓典の民の宗教であるユダヤ教、キリスト教、イスラム教を生みだしている。ギリシア人の世界にあっては、イオニア自然哲学からソクラテス、プラトン、アリストテレスにいたる哲学思想の基盤となった。南アジアにおけるウパニシャッド哲学はその後の仏教やジャイナ教を生み、やがて民間信仰も加わってヒンドゥー教が広がっている。東アジアにあっては、春秋・戦国時代の諸子百家の思想運動から、やがて儒教や道教などが成立し広がったことは言うまでもない。

マックス・ウェーバー（1864〜1920）

ここで思い出されるのが、「枢軸時代」を提唱したヤスパースが「哲学者の典型」とまで仰いで敬愛したマックス・ウェーバーである。彼はその後半生にあって『世界宗教の経済倫理』（宗教社会学論）の大作を試みており、『儒教と道教』『ヒンドゥー教と仏教』『古代ユダヤ教』にまでいたったところで未完に終わったことは忘れるべきではない。

ウェーバーの脳裏には、おそらく人類史の大転換となり、「世界史」の基点となった「枢軸時代」の観念があったのではないだろうか。ヤスパースはその影響下にあり、師ウェーバーの言動から多大の教訓を受けとっていたにちがいない。

神々のささやきが聞こえなくなり、神々の沈黙が訪れると、人々は自分で考えるようになり、いわゆる「枢軸時代」が現出する。まるで幼い小学生が先生の言うままに行動していたのに、ある時から自分の意思や欲求をはっきり出すようになったと譬《たと》えればわかりやすいだろうか。それでは収拾がつかなくなり、そこには強権をともなう秩序あるいはルールが求められ、それが「帝国」という形で世界史の舞台に登場したのかもしれない。もとより筋道はそれほど単純ではないだろうが、えてして物事は単純なほど真実に迫っているとも言えるのである。

おわりに

本シリーズの最初の二巻は、通例なら「オリエント史」としてくくられる歴史叙述である。しかし、「地中海世界」あるいは「地中海文明」としてまとめうる空間と時間があることを重視する立場からすれば、最初の二巻はオリエントを中心として隣接する東地中海地域にも目配りすることが肝要であった。

しかも、前一〇〇〇年前後を境として、神々の声が人間の耳に届かなくなっていく大きな変わり目の時であった。考えてみれば、神々という不可知な存在と関わりがあるということは、ほかの生物にはない人間だけが経験することであり、そこに人類の特質があってもいっこうに不可思議ではない。宗教現象のうえでの差異が世界史の時代区分として持ち出されても、ある意味では当然のことではなかろうか。

この変わり目の時代より以後、この地中海世界には世界帝国とよばれる大覇権の勢力が形成され、それとともに世界の秩序にも大きな変化が訪れている。その歴史的推移のなかで、今日にいたるまで世界史の根幹となる思想や信仰の形態が生まれ出たことは、驚異であるとともに常に心しておくべきことでもある。

第二巻では前一千年紀前半を中心にして地中海世界の歴史を描いてきたが、第一巻と第二巻とが対象とした時代区分のなかに、世界史というより人類史とよぶほうが適切な差異が見られることを指摘しておきたかった。二〇世紀後半になって注目を集めてきた「心性史」という視座に重きをおく歴史叙述であり、必ずしも大方の賛同を得られるものではないかもしれない。しかし、政治・経済・社会・文化などの人間の営みが、「心性」の在り方と深く関わり合っていることの一端でもご理解いただけたならば、筆者にとって望外の喜びである。

第二巻も、狭義ではローマ史家にすぎない筆者が専門外の分野に手をそめたのであるから、基本的な誤りを犯していないかが気になるところであった。本巻の基本的な史実に関しては、アッシリア史およびペルシア史に精通する三津間康幸氏に点検していただいた。

続く第三巻では、エーゲ海とギリシアの文明を中心にみていく。いよいよ歴史は「人間の時代」となり、のちに近代においても参照される政治と思想が誕生するが、その時、古代社会の深淵には底知れぬ闇が顔をのぞかせているのだ。

参考文献

本書執筆にあたって参考にしたおもな文献を、一般書を中心にあげた。また、本書中に取り上げた史料・碑文等の日本語訳は、これらの書籍から引用したが、その際に、著者が内外の文献を参考に、読みやすさを考慮して適宜改変したものもある。

青木健『ゾロアスター教史――古代アーリア・中世ペルシア・現代インド』刀水書房　二〇〇八年
青木健『ペルシア帝国』講談社現代新書　二〇二〇年
阿部拓児『アケメネス朝ペルシア』中公新書　二〇二一年
阿部拓児『ペルシア帝国と小アジア――ヘレニズム以前の社会と文化』京都大学学術出版会　二〇一五年
ヴィヴィアン・デイヴィス／塚本明廣訳『失われた文字を読む2　エジプト聖刻文字』學藝書林　一九九六年
大貫良夫・前川和也・渡辺和子・屋形禎亮『世界の歴史　1　人類の起源と古代オリエント』中央公論社　一九九八年
岡田明憲『ゾロアスター教――神々への讃歌』平河出版社　一九八二年
小川英雄・山本由美子『世界の歴史　4　オリエント世界の発展』中央公論社　一九九七年
小川英雄『古代オリエントの歴史』慶應義塾大学出版会　二〇一一年
樺山紘一ほか編『岩波講座　世界歴史　2　オリエント世界』岩波書店　一九九八年
グレン・E・マーコウ／片山陽子訳『フェニキア人』創元社　二〇〇七年
古代オリエント学会編『古代オリエント事典』岩波書店　二〇〇四年
小林登志子『古代メソポタミア全史――シュメル、バビロニアからサーサーン朝ペルシアまで』中公新書　二〇二〇年
ジュリアン・ジェインズ／柴田裕之訳『神々の沈黙――意識の誕生と文明の興亡』紀伊国屋書店　二〇〇五年

ジョン・ヒーリー／竹内茂夫訳『失われた文字を読む4　初期アルファベット』學藝書林　一九九六年
ジョン・ボードマン／西山伸一訳『ノスタルジアの考古学』国書刊行会　二〇一〇年
日本オリエント学会監修『古代オリエント史　ナイルからインダスへ　上巻』日本放送協会学園　二〇一四年
日本オリエント学会監修『古代オリエント史　ナイルからインダスへ　下巻』日本放送協会学園　二〇一四年
日本オリエント学会監修『古代オリエント史　メソポタミアの世界　上巻』日本放送協会学園　二〇一四年
日本オリエント学会監修『古代オリエント史　メソポタミアの世界　下巻』日本放送協会学園　二〇一四年
日本オリエント学会監修『古代オリエント史　ナイルからインダスへ　必携』日本放送協会学園　二〇一四年
日本オリエント学会監修『古代オリエント史　メソポタミアの世界　必携』日本放送協会学園　二〇一四年
P・R・ハーツ／奥西峻介訳『ゾロアスター教』青土社　二〇〇四年
ピエール・ブリアン／柴田都志子訳『ペルシア帝国』創元社　一九九六年
ピョートル・ビエンコウスキ、アラン・ミラード編著／池田裕・山田重郎翻訳監修『図説古代オリエント事典　大英博物館版』東洋書林　二〇〇四年
前川和也ほか『岩波講座　世界歴史2　オリエント世界』岩波書店　一九九八年
前田徹・川崎康司・山田雅道ほか『歴史学の現在　古代オリエント』山川出版社　二〇〇〇年
屋形禎亮編『古代オリエント　西洋史1』有斐閣新書　一九八〇年
山本由美子『マニ教とゾロアスター教』山川出版社　一九九八年
『ペルシャ文明展　煌めく７０００年の至宝』図録　朝日新聞社・東映　二〇〇六年
Polymnia Athanassiadi and Michael Frede (ed.), *Pagan Monotheism In Late Antiquity*, Clarendon Press, 1999
Robert N.Bellah, *Religion in Human Evolution: From the paleolithic to the Axial Age*, Belknap Press of Harvard University Press, 2011
Robert N.Bellah and Hans Joas (ed.), *The Axial Age and Its Consequences*, Belknap Press of Harvard University Press,

2012

Jean Bottéro, Clarisse Herrenschmidt, and Jean-Pierre Varnant, *Ancestor Of The West:Writing, Reasoning, and Religion in Mesopotamia, Elam and Greece,* University Of Chicago Press, 2000

Maria Brosius, *The Persians: An introduction,* Routledge, 2006

Annie Caubet and Marthe Bernus-Taylor, *The Louvre :Near Eastern Antiquities,* Scala Books, 1991

Mark Healy, *The Ancient Assyrians,* Osprey Publishing, 1991

Mario Liverani, *The Ancient Near East: History, Society and Economy,* Routledge, 2014

Marc Van De Mieroop, *A History of the Ancient Near East ca.3000-323 BC,* Blackwell Publishing, 2007

James B.Pritchard, *The Ancient Near East: An Anthology of Texts and Pictures,* Princeton University Press, 2011

British Museum and Julian Reade, *Assyrian Sculpture,* Harvard University Press, 1983

Marc Shell, *The Economy Of Literature,* Johns Hopkins University Prerss, 1978

Ian Shaw (ed.), *The Oxford History of Ancient Egypt,* Oxford UP, 2000

Jean-Claude Margueron and Luc Pfirsch, *Le Proche-Orient et l'Egypte Antiques,* Hachette Supérieur, 2012

Jonathan N.Tubb, *Canaanites,* The British Museum Press, 1998

Pierre Bordreuil, Françoise Briquel-Chatonnet, Cécile Michel, *Les Debuts de l'Histoire,* Editions de La Martiniere, 2008

［マ・ヤ・ラ］

［ナ］

［ハ］

［タ］

［カ］

［サ］

索引

[ア]

本村凌二（もとむら・りょうじ）

一九四七年生まれ。一橋大学社会学部卒業、東京大学大学院人文科学研究科博士課程単位取得退学。文学博士（西洋史学）。東京大学大学院総合文化研究科・教養学部教授、早稲田大学国際教養学部特任教授を経て、現在、東京大学名誉教授。おもな著書に『薄闇のローマ世界――嬰児遺棄と奴隷制』（東京大学出版会、サントリー学芸賞）、『古代ポンペイの日常生活――「落書き」でよみがえるローマ人』（祥伝社新書）、『愛欲のローマ史――変貌する社会の底流』『興亡の世界史　地中海世界とローマ帝国』（講談社学術文庫）、『馬の世界史』（中公文庫、ＪＲＡ賞馬事文化賞）、『多神教と一神教――古代地中海世界の宗教ドラマ』（岩波新書）、『教養としての「世界史」の読み方』『名作映画で読み解く世界史』（ＰＨＰ研究所）ほかがある。

企画協力＝株式会社シュア

地《ち》中《ちゅう》海《かい》世《せ》界《かい》の歴《れき》史《し》②

沈《ちん》黙《もく》する神々《かみがみ》の帝《てい》国《こく》

アッシリアとペルシア

二〇二四年　四月　九日　第一刷発行
二〇二四年　五月　二日　第三刷発行

著　者　本《もと》村《むら》凌《りょう》二《じ》

発行者　森田浩章
発行所　株式会社 講談社
東京都文京区音羽二丁目一二—二一　〒一一二—八〇〇一
電話（編集）〇三—五三九五—三五一二
（販売）〇三—五三九五—五八一七
（業務）〇三—五三九五—三六一五

装幀者　奥定泰之
本文データ制作　講談社デジタル製作
本文印刷　信毎書籍印刷 株式会社
カバー・表紙印刷　半七写真印刷工業 株式会社
製本所　大口製本印刷 株式会社

KODANSHA

ISBN978-4-06-535426-1　Printed in Japan　N.D.C.209　277p　19cm

講談社選書メチエの再出発に際して

講談社選書メチエの創刊は冷戦終結後まもない一九九四年のことである。長く続いた東西対立の終わりはついに世界に平和をもたらすかに思われたが、その期待はすぐに裏切られた。超大国による新たな戦争、吹き荒れる民族主義の嵐……世界は向かうべき道を見失った。そのような時代の中で、書物のもたらす知識が一人一人の指針となることを願って、本選書は刊行された。

それから二五年、世界はさらに大きく変わった。特に知識をめぐる環境は世界史的な変化をこうむったとすら言える。インターネットによる情報化革命は、知識の徹底的な民主化を推し進めた。誰もがどこでも自由に知識を入手でき、自由に知識を発信できる。それは、冷戦終結後に抱いた期待を裏切られた私たちのもとに差した一条の光明でもあった。

その光明は今も消え去ってはいない。しかし、私たちは同時に、知識の民主化が知識の失墜をも生み出すという逆説を生きている。堅く揺るぎない知識も消費されるだけの不確かな情報に埋もれることを余儀なくされ、不確かな情報が人々の憎悪をかき立てる時代が今、訪れている。

この不確かな時代、不確かさが憎悪を生み出す時代にあって必要なのは、一人一人が堅く揺るぎない知識を得、生きていくための道標を得ることである。

フランス語の「メチエ」という言葉は、人が生きていくために必要とする職、経験によって身につけられる技術を意味する。選書メチエは、読者が磨き上げられた経験のもとに紡ぎ出される思索に触れ、生きるための技術と知識を手に入れる機会を提供することを目指している。万人にそのような機会が提供されたとき初めて、知識は真に民主化され、憎悪を乗り越える平和への道が拓けると私たちは固く信ずる。

この宣言をもって、講談社選書メチエ再出発の辞とするものである。

二〇一九年二月　　野間省伸

「民都」大阪対「帝都」東京　原　武史
喧嘩両成敗の誕生　清水克行
日本軍のインテリジェンス　小谷　賢
近代日本の右翼思想　片山杜秀
アイヌの歴史　瀬川拓郎
本居宣長『古事記伝』を読むI～IV　神野志隆光
アイヌの世界　瀬川拓郎
戦国大名の「外交」　丸島和洋
町村合併から生まれた日本近代　松沢裕作
源実朝　坂井孝一
満蒙　麻田雅文
〈階級〉の日本近代史　坂野潤治
原敬（上・下）　伊藤之雄
大江戸商い白書　山室恭子
戦国大名論　村井良介
〈お受験〉の歴史学　小針　誠
福沢諭吉の朝鮮　月脚達彦

帝国議会　村瀬信一
「怪異」の政治社会学　高谷知佳
大東亜共栄圏　河西晃祐
永田鉄山軍事戦略論集　川田　稔編・解説
享徳の乱　峰岸純夫
大正＝歴史の踊り場とは何か　鷲田清一編
近代日本の中国観　岡本隆司
昭和・平成精神史　磯前順一
叱られ、愛され、大相撲！　胎中千鶴
武士論　五味文彦
鷹将軍と鶴の味噌汁　菅　豊
戦国日本の生態系《エコシステム》　高木久史
日本人の愛したお菓子たち　吉田菊次郎
国鉄史　鈴木勇一郎
神武天皇の歴史学　外池　昇

日本語に主語はいらない　金谷武洋
テクノリテラシーとは何か　齊藤了文
どのような教育が「よい」教育か　苫野一徳
感情の政治学　吉田　徹
マーケット・デザイン　川越敏司
「社会《コンヴィヴィアリテ》」のない国、日本　菊谷和宏
権力の空間／空間の権力　山本理顕
地図入門　今尾恵介
国際紛争を読み解く五つの視座　篠田英朗
易、風水、暦、養生、処世　水野杏紀
丸山眞男の敗北　伊東祐吏
新・中華街　山下清海
ノーベル経済学賞　根井雅弘編著
日本論　石川九楊
丸山眞男の憂鬱　橋爪大三郎
危機の政治学　牧野雅彦
主権の二千年史　正村俊之

機械カニバリズム　久保明教
暗号通貨の経済学　小島寛之
電鉄は聖地をめざす　鈴木勇一郎
日本語の焦点　日本語「標準形《スタンダード》」の歴史　野村剛史
ワイン法　蛯原健介
MMT　井上智洋
快楽としての動物保護　信岡朝子
手の倫理　伊藤亜紗
現代民主主義　思想と歴史　権左武志
やさしくない国ニッポンの政治経済学　田中世紀
物価とは何か　渡辺　努
SNS天皇論　茂木謙之介
英語の階級　新井潤美
目に見えない戦争　イヴォンヌ・ホフシュテッター　渡辺　玲訳
英語教育論争史　江利川春雄
人口の経済学　野原慎司

講談社選書メチエ　哲学・思想Ⅰ

MÉTIER

ヘーゲル『精神現象学』入門　長谷川 宏
カント『純粋理性批判』入門　黒崎政男
知の教科書 ウォーラーステイン　川北 稔 編
知の教科書 スピノザ　C・ジャレット 石垣憲一 訳
知の教科書 ライプニッツ　梅原宏司・川口典成 訳 F・パーキンズ
知の教科書 プラトン　三嶋輝夫ほか 訳 M・エルラー
フッサール 起源への哲学　斎藤慶典
完全解読 ヘーゲル『精神現象学』　竹田青嗣 西 研
完全解読 カント『純粋理性批判』　竹田青嗣
分析哲学入門　八木沢 敬
ドイツ観念論　村岡晋一
ベルクソン＝時間と空間の哲学　中村 昇
精読 アレント『全体主義の起源』　牧野雅彦
ブルデュー 闘う知識人　加藤晴久
九鬼周造　藤田正勝
夢の現象学・入門　渡辺恒夫
熊楠の星の時間　中沢新一

ヨハネス・コメニウス　相馬伸一
アダム・スミス　高 哲男
ラカンの哲学　荒谷大輔
解読 ウェーバー『プロテスタンティズムの倫理と資本主義の精神』　橋本 努
新しい哲学の教科書　岩内章太郎
西田幾多郎の哲学＝絶対無の場所とは何か　中村 昇
アガンベン《ホモ・サケル》の思想　上村忠男
ドゥルーズとガタリの『哲学とは何か』を精読する　近藤和敬
使える哲学　荒谷大輔
ウィトゲンシュタインと言語の限界　ピエール・アド 合田正人 訳
〈実存哲学〉の系譜　鈴木祐丞
パルメニデス　山川偉也
精読 アレント『人間の条件』　牧野雅彦
快読 ニーチェ『ツァラトゥストラはこう言った』　森 一郎
構造の奥　中沢新一

MÉTIER